FIDEOS ORIENTALES

FIDEOS ORIENTALES

BEVERLEY LE BLANC

Producido por The Bridgewater Book Company Ltd
Fotografías: David Jordan

Copyright © 2005 de la edición española:
Parragon
Queen Street House
4 Queen Street
Bath BA1 1HE, RU
Traducción del inglés: Montserrat Ribas
para Equipo de Edición S.L., Barcelona
Redacción y maquetación: Equipo de Edición S.L., Barcelona

Impreso en China
Printed in China

ISBN 1-40545-245-5

NOTAS PARA EL LECTOR
Se considera que 1 cucharadita equivale a 5 ml y 1 cucharada a 15 ml.
Si no se indica otra cosa, la leche será siempre entera, los huevos y las
verduras u hortalizas, por ejemplo, las patatas, de tamaño medio, y la
pimienta, pimienta negra recién molida. Las recetas que llevan huevo
crudo o muy poco cocido no son indicadas para los niños muy pequeños,
los ancianos, las mujeres embarazadas, las personas convalecientes y
cualquiera que sufra alguna enfermedad. Los tiempos indicados para cada
receta son sólo orientativos porque la preparación puede diferir según
las técnicas utilizadas por cada persona y el tiempo de cocción puede
variar según el tipo de horno utilizado. Los ingredientes opcionales, las
variaciones o sugerencias para servir no están incluidas en los cálculos.

Agradecimientos
The Bridgewater Book Company desea agradecer a Corbis Images
el permiso para reproducir las fotografías sujetas a copyright de las
págs. 8, 52 y 74.

CONTENIDO

Tanto usted como aquellos para quien cocine quedarán encantados con la versatilidad que ofrecen los fideos orientales. Familiarícese con ellos y disfrutará de algunos de los mejores platos de la cocina actual. Son ideales para cualquier ocasión, como una cena sofisticada o un almuerzo informal, pues los fideos chinos le ofrecen un fantástico abanico de tentadores sabores.

En Asia existe una inmensa variedad de fideos, mientras que en Occidente la oferta es más limitada. Los diferentes tipos de fideos que encontrará en este libro los puede adquirir en la mayoría de los supermercados, colmados asiáticos y tiendas de dietética. No obstante, si no encuentra el tipo exacto de fideos que indica una receta, emplee cualquier otra variedad. Pronto se dará cuenta de que son muy versátiles, aunque cada marca tiene sus peculiaridades, así que lea las instrucciones del envoltorio antes de empezar y esté atento al tiempo de cocción. Los fideos orientales deberían

INTRODUCCIÓN

quedar más tiernos que la pasta italiana que se cuece *al dente*, pero no reblandecidos.

Éstos son los fideos que encontrará en este libro:

Fideos al huevo Estos fideos de color amarillo pálido se encuentran fácilmente y son los que se conocen como «fideos chinos». Están hechos con harina de trigo y huevo, y se suelen vender secos, aunque en los colmados orientales los puede encontrar frescos. Los *ramen* son fideos al huevo japoneses. Esta clase de fideos se vende en varios grosores y es de cocción rápida.

Fideos de arroz Si bien proceden de China, los fideos de arroz se utilizan en toda la cocina oriental. Los secos se venden en la mayoría de los supermercados. Están hechos de arroz molido, trigo y agua, y los hay de distintos grosores. Tras hervirlos o dejarlos en remojo adquieren un aspecto mate y blanco, y se utilizan en ensaladas, sopas y salteados. Los fideos de arroz redondos y muy finos son los *vermicelli*. Los de tamaño medio y grueso son planos como los tallarines italiano. A veces también se les llama «palitos de arroz».

Los fideos de arroz pueden cocerse en agua hirviendo para ir más rápido, pero se reblandecen muy pronto. Las recetas de este libro recomiendan dejarlos en remojo en lugar de hervirlos, pero si lo desea siga las instrucciones del envoltorio.

Fideos de celofán También llamados «hilos de soja» o «fideos transparentes», estos finos fideos están hechos con soja molida. Después de dejarlos en remojo o hervirlos adquieren una textura escurridiza y un aspecto reluciente. Los encontrará en tiendas de alimentación oriental.

Fideos de trigo Los fideos frescos *hokkien* de China son gruesos, de un color amarillo intenso y no llevan huevo. Los *somen* son fideos secos de trigo muy delgados y proceden de Japón. Los fideos *udon* son gruesos, redondos y blancos, y se venden envasados al vacío o secos. Si no encuentra fideos de trigo en tiendas especializadas, sustitúyalos por fideos al huevo. Páselos por agua fría después de hervirlos.

Fideos de trigo sarraceno Estos fideos japoneses de color pardo grisáceo, que se venden en supermercados y colmados orientales, también se llaman «fideos *soba*». Están hechos con harina de trigo sarraceno y presentan una forma plana. Páselos siempre por agua fría después de la cocción para eliminar el exceso de almidón. Los fideos al té verde están hechos con una mezcla de harina de trigo normal y de trigo sarraceno.

Confiera un toque original a sus cenas con invitados con estos platos de fideos orientales donde se fusionan varios estilos. Desde elegantes canapés que se comen de un solo bocado hasta ligeras y delicadas ensaladas, o una variación original para una sopa tradicional, estas recetas son la elección perfecta para crear una atmósfera oriental. Los fideos son también adecuados como primer plato para cenas ligeras o como tentempié con los amigos. Si lo que desea es preparar un almuerzo copioso o una comida para invitados con los fideos como base, simplemente doble o triplique las cantidades. Estos platos, versátiles, ligeros y estimulantes para el paladar, pronto se convertirán en parte de su repertorio culinario habitual.

En estas páginas encontrará una gran variedad de fideos, pero si no encuentra los que se especifican, sustitúyalos por fideos al huevo.

La mayoría de las recetas de este capítulo pueden prepararse con antelación, lo que le dejará

PRIMERA PARTE ENTRANTES CON CARÁCTER

tiempo para atender a sus invitados, aunque un par de ellas requieren una cocción de último momento.

Por lo que se refiere a la presentación, dé rienda suelta a su creatividad y escoja el estilo que prefiera. Los platos blancos y de gran tamaño realzan el contraste entre el atractivo color de las verduras y los delicados fideos, pero también puede servir la comida en cuencos de estilo oriental, si prefiere un aspecto más tradicional. Si realmente quiere impresionar, utilice hojas de banano como base para los platos de fideos, que podrá adquirir en tiendas de alimentación tailandesas. Estas recetas son tan deliciosas y variadas que satisfarán a todos los paladares.

PARA 4 PERSONAS

1 solomillo o filete de
ternera de unos 200 g
y 2 cm de grosor

aceite de cacahuete o
de girasol, para untar

sal y pimienta

1 pimiento rojo y otro
amarillo cortados por la
mitad, sin la membrana ni
las semillas

1 zanahoria pelada y cor-
tada en trozos de 7,5 cm

1 calabacín pelado y cor-
tado en trozos de 7,5 cm

100 g de hongos de la
paja de lata (escurridos),
enjuagados y cortados
en láminas finas

55 g de brotes de soja

2 hojas de lima *kafir*,
cortadas en tiras

2 cucharadas de cilantro
fresco picado, y unas
ramitas para decorar

100 g de fideos de celofán
secos

Aliño de guindilla dulce

¹/₂–1 guindilla roja fresca,
despepitada y cortada en
rodas finas

4 cucharadas de zumo de
lima recién hecho

2 cucharadas de vinagre
de arroz

1 cucharada de azúcar
moreno claro

¹/₂ cucharada de *nam pla*
(salsa de pescado tailandesa)

ENSALADA DE TERNERA

Esta vistosa ensalada requiere una cuidadosa preparación, pero puede optar por cortar las verduras con horas de antelación para ahorrar tiempo. Empiece por freír la carne. Caliente una sartén a fuego medio. Unte ambos lados de la carne con aceite y salpiméntela. Fríala 3 minutos por un lado, dele la vuelta y siga friendo 2 minutos más si la quiere al punto, y a continuación resérvela 1 o 2 minutos. Entretanto combine todos los ingredientes del aliño en un cuenco grande para servir. Corte la carne en tiras finas en diagonal y añádala al cuenco. Resérvelo.

Prepare ahora las verduras, añadiéndolas al cuenco a medida que las va cortando. Procure cortarlas en tiras lo más finas posible, así que será mejor que utilice un pelapatatas en lugar de un cuchillo. Pase el pelapatatas por los bordes cortados de los pimientos para obtener tiras delgadas y estrechas. Corte la zanahoria y el calabacín en tiras longitudinales, después apile estas tiras y córtelas en juliana fina. Añada los hongos, los brotes de soja, las hojas de lima y el cilantro al aliño, cubra el cuenco y guárdelo en la nevera.

A continuación, ponga los fideos en otro cuenco, cúbralos con agua tibia y déjelos 20 minutos en remojo, hasta que se ablanden, o bien siga las instrucciones del envoltorio. Escúrralos y guárdelos en la nevera hasta que los necesite.

En el momento de servir el plato, añada los fideos a la ensalada. Dispóngala en 4 platos y adórnela con ramitas de cilantro.

Los fideos de celofán fritos tienen una textura crujiente que queda estupenda con esta ensalada. Caliente unos 5 cm de aceite en un wok a fuego vivo. Saque un puñadito de fideos del ovillo y déjelos caer en el aceite caliente. En pocos segundos estarán crujientes. Retírelos y escúrralos.

VIEIRAS SOBRE UN LECHO DE FIDEOS

PARA 4 PERSONAS

115 g de fideos al té verde secos, o los fideos verdes más finos que encuentre

30 g de mantequilla

1 diente de ajo majado

una pizca de pimentón dulce

1 cucharada de aceite de cacahuete o de girasol, y un poco más para asar las vieiras

2 cucharadas de pasta de curry verde tailandés, suave o medio picante

2 cucharadas de agua

2 cucharaditas de salsa de soja clara

2 cebolletas cortadas en tiras muy finas, y algunas rodajitas para decorar

12 vieiras frescas; si es posible, reserve las valvas (*véase la sugerencia*)

sal y pimienta

Éste es un plato excelente para una cena con invitados, pero tendrá que organizarse. Puede hervir los fideos y preparar la mantequilla al ajo para freír las vieiras con antelación, pero como todo lo demás se prepara en el último minuto, es aconsejable que sus invitados estén ya sentados a la mesa cuando usted empiece a cocinar. Las vieiras tienen que pasar de la cocina al plato lo más rápidamente posible.

Hierva los fideos durante 1 1/2 minutos hasta que se ablanden, después páselos por el chorro de agua fría y escúrralos bien. Si utiliza otro tipo de fideos, siga las instrucciones del envoltorio. Escúrralos y resérvelos. Entretanto derrita la mantequilla y fría el ajo 1 minuto. Añada el pimentón y reserve.

Caliente un wok a fuego vivo. Ponga el aceite. Añada la pasta de curry, el agua y la salsa de soja y llévelo a ebullición. Incorpore los fideos y remuévalos para calentarlos. Agregue la cebolleta, retírelo todo del fuego y manténgalo caliente.

Caliente una parrilla a fuego vivo y úntela con un poco de aceite. Ase las vieiras 3 minutos por

un lado y no más de 2 minutos por el otro, untándolas con la mantequilla al ajo, hasta que estén cocidas (el centro no debería estar del todo opaco si lo abriera de un corte). Salpimiente al gusto. Divida los fideos en 4 platos y coloque 3 vieiras encima de cada uno. Adórnelo con cebolleta.

Para conseguir una presentación atractiva, sirva los fideos y las vieiras en las mismas valvas, lavadas y secadas. Puede comprar valvas auténticas en la pescadería, o platitos de porcelana con la misma forma en tiendas de menaje del hogar. De todos modos, puede utilizar cualquier otro tipo de plato.

CESTITAS DE FIDEOS CON ENSALADA DE POLLO A LA LIMA

PARA 4 PERSONAS

250 g de aceite de cacahuete o de girasol para freír

fideos frescos al huevo, finos o de grosor medio

Ensalada de pollo a la lima

6 cucharadas de nata fresca espesa

6 cucharadas de mayonesa

1 trozo de jengibre fresco de 2,5 cm, pelado y rallado

la ralladura y el zumo de 1 lima

4 muslos de pollo deshuesados y sin piel, escalfados y luego dejados enfriar, cortados en tiras finas

1 zanahoria pelada y rallada

1 pepino cortado por la mitad longitudinalmente, despepitado y cortado en rodajas

sal y pimienta

1 cucharada de cilantro fresco, cortado fino

1 cucharada de menta fresca, picada fina

1 cucharada de perejil fresco, picado fino

varias hojas de albahaca fresca, troceadas

Estas espectaculares cestitas no son difíciles de preparar, pero requieren un poco de práctica.

Para darles forma puede utilizar 2 espumaderas de rejilla que puede adquirir en tiendas especializadas. Extienda los fideos y colóquelos sobre una de las espumaderas. A continuación, coloque la otra espumadera encima y sostenga con fuerza los dos mangos mientras sumerge los fideos en el aceite. En lugar de las espumaderas también puede utilizar un juego especial de 2 cestitas de alambre con mango que van una dentro de la otra. Sumerja la cestita más grande en el aceite y después fórrela de manera uniforme con una cuarta parte de los fideos enroscados. Sumerja la cestita más pequeña en el aceite, colóquela dentro de la más grande y ciérrela.

Caliente 10 cm de aceite en un wok o una freidora a 180–190 °C, o hasta que un dado de pan se dore en 30 segundos. Sumerja las cestitas en el aceite y fríalas 2–3 minutos, hasta que los fideos estén dorados. Retírelas del aceite y déjelas secar sobre papel de cocina. Desmonte las 2 cestitas metálicas y con cuidado levante y retire la más pequeña. Si es preciso, utilice un cuchillo de punta redonda para sacar la cestita. Haga lo mismo para elaborar otras 3 cestitas. Deje enfriar los fideos, rellénelos y sírvalos, o bien guárdelos en un recipiente hermético varios días. Para preparar la ensalada, mezcle la nata fresca con la mayonesa, el jengibre y la ralladura de lima. Añada el zumo de lima de forma gradual, hasta conseguir el punto de sabor deseado. Incorpore el pollo, la zanahoria y el pepino, y salpiméntelo al gusto. Cúbrala y déjela en la nevera. Justo antes de servir, espolvoree las hierbas por encima y rellene las cestitas de fideos con la ensalada.

Si las cestitas de fideos le parecen demasiado difíciles de hacer, sirva la ensalada sobre unos fideos fritos (véase pág. 67) o un lecho de fideos crujientes (véase pág. 79).

ROLLITOS VIETNAMITAS

PARA 8 ROLLITOS

85 g de fideos de celofán secos

1 pechuga de pato de unos 300 g, asada

2 cucharadas de salsa *hoisin*

2 cucharadas de salsa de ciruelas

1 zanahoria

1 trozo de pepino de 7,5 cm

6 hojas de lechuga grandes, lavadas y secadas

45 g de brotes de soja

8 envoltorios de papel de arroz, de 20 cm de diámetro

2 cucharadas de menta fresca, picada muy fina

1 cucharada de cilantro fresco, picado muy fino, y unas ramitas para decorar

Salsa para mojar

5 cucharadas de vinagre de arroz

2 cucharadas de miel líquida

1 cucharada de aceite de sésamo tostado

1/2 cucharadita de salsa de guindilla envasada

1 trozo de jengibre fresco de 1 cm, pelado y picado muy fino

Estos deliciosos rollitos no necesitan cocción y son muy fáciles de preparar. Para organizarse mejor, coloque los ingredientes en platos separados a medida que los vaya preparando. Ponga los fideos en un cuenco refractario, cúbralos con agua tibia y déjelos en remojo 20 minutos, hasta que se ablanden, o siga las instrucciones del envoltorio. Escúrralos bien y resérvelos. Entretanto retire la piel y la grasa de la pechuga de pato, córtela en tiras finas y mézclela con las salsas *hoisin* y de ciruelas. Pele y ralle la zanahoria gruesa. Corte el pepino por la mitad longitudinalmente, despepítelo y corte cada mitad en juliana fina. Enrolle bien las hojas de lechuga y después córtelas en juliana fina.

Vierta 1 cm de agua caliente en una fuente donde quepan los envoltorios de papel de arroz. Sumérjalos de uno en uno en el agua entre 20 y 25 segundos, hasta que se hayan ablandado. Déjelos sobre un paño de cocina limpio o una esterilla absorbente, pero no hace falta que los seque. Divida los ingredientes en ocho partes y coloque una porción de lechuga

en el centro del tercio inferior. Ponga encima una porción de fideos y después añada un poco de zanahoria, pepino y brotes de soja. Agregue una octava parte de la mezcla de pato y espolvoree las hierbas por encima. Doble los lados del envoltorio hacia dentro y forme el rollito. Siga hasta completar los 8 rollitos.

Combine todos los ingredientes de la salsa de mojar en un cuenco pequeño y sírvala con los rollitos.

Para preparar la pechuga de pato, unte una sartén con aceite y caliéntelo a temperatura media-alta. Coloque la pechuga con el lado de la piel hacia abajo y fríala 8 minutos o hasta que esté crujiente. Pásela a un horno precalentado a 220 °C y ásela 15–18 minutos si la quiere bien hecha.

NIDOS DE LECHUGA

PARA 12 NIDOS

100 g de fideos de celofán
secos

3 cucharadas de mantequilla
de cacahuete crujiente

2 cucharadas de vinagre
de arroz

1 cucharada de salsa
de ostras

aceite de cacahuete o
de girasol (opcional)

salsa de soja al gusto

4 rábanos rojos rallados

2 zanahorias, peladas
y ralladas gruesas

1 calabacín rallado grueso

115 g de maíz dulce de lata,
escurrido

12 hojas grandes de lechuga
tipo iceberg, lavadas y secas

doble ración de salsa para
mojar (*véase pág. 16*), o
alguna salsa ya preparada,
para servir

Esta sencilla receta constituye un primer
plato ideal para cualquier comida. Se trata de
un entrante personalizado, ya que se dejan los
ingredientes en la mesa y los comensales se
lo preparan a su gusto, enrollando los fideos y
unas crujientes verduras con las hojas de lechuga. En esta receta sugerimos unos ingredientes
para el relleno, pero puede utilizar otros de su
elección según sus preferencias, como brotes
de soja, rodajitas de cebolleta, cebolla roja
rallada, pimientos cortados en tiras y *daikon*
rallado (rábano blanco japonés), así como
gambas cocidas.

Ponga los fideos en un cuenco, cúbralos con
agua tibia y déjelos en remojo 20 minutos, hasta
que se hayan ablandado, o siga las instrucciones
del envoltorio. Escúrralos, páselos por agua fría
y después córtelos en trozos de 7,5 cm.

Bata la mantequilla de cacahuete con el vinagre de arroz y la salsa de ostras en un cuenco
grande, añadiendo un poco de aceite para sua-
vizar la mezcla si fuera necesario. Incorpore los
fideos, remuévalos para que queden bien empapados y agregue salsa de soja al gusto. Cúbralos
y déjelos en la nevera hasta 15 minutos antes

de servirlos. Entretanto mezcle todos los
ingredientes de la salsa para mojar en un bol
pequeño, si la desea preparar usted mismo.

Justo antes de servir el plato, incorpore los
rábanos, la zanahoria, el calabacín y el maíz,
y páselo todo a una fuente de servir. Cada
comensal debe tomar una hoja de lechuga y
con los palillos chinos o un tenedor servirse
unos cuantos fideos y enrollarlos con la hoja
de lechuga (al final quedan como rollitos de
primavera). Se comen mojándolos en la salsa.

*Los fideos de celofán secos, que se venden en ovillos, son frágiles y difíciles de separar hasta
que están remojados. Es preferible remojar todo el ovillo y guardar los fideos que sobren para
ensaladas o sopas. Se conservan varios días en la nevera si los guarda en una bolsa de plástico.*

PAQUETITOS DE PESCADO TERIYAKI

PARA 12 PAQUETITOS

2 filetes de salmón sin piel ni espinas, de 175 g de peso y 2 cm de grosor cada uno

salsa *teriyaki* envasada o casera (*véase* la sugerencia)

12 hojas de espinaca grandes, lavadas y secas, sin tallos duros, o bien 36 hojas más pequeñas y tiernas

48 fideos chinos al huevo frescos, largos y de grosor medio

Estos bocaditos de pescado sazonados con salsa *teriyaki* quedan deliciosos servidos con una copa de vino espumoso antes de la comida. También resultan ideales para cenas con invitados, ya que pueden prepararse con varias horas de antelación y conservarse en la nevera hasta el momento de cocerlos al vapor, justo antes de servirlos.

Con un cuchillo afilado, corte los filetes de salmón en dados de unos 2,5 cm, que sean todos más o menos del mismo tamaño para que así precisen el mismo tiempo de cocción.

Unte la parte superior de cada dado con salsa *teriyaki*. Tome una hoja de espinaca cada vez; colóquela sobre la superficie de trabajo, con el lado interior hacia arriba y el tallo hacia usted. Disponga un trozo de pescado, con el lado untado de salsa hacia abajo, en el centro de la hoja.

Doble los costados hacia dentro para que se solapen y enrolle la hoja desde abajo para envolver el salmón. Haga lo mismo con el resto del pescado. Enrolle 2 fideos en cada paquetito y después crúcelo con 2 fideos más. Deje que los extremos queden en la parte de abajo, recorte las puntas sobrantes y presiónelas para juntarlas. Cubra los paquetitos y déjelos en la nevera un mínimo de 20 minutos y un máximo de 8 horas.

Para cocerlos, coloque una vaporera de bambú sobre una cazuela con agua hirviendo. Ponga tantos paquetitos como quepan en una capa, cúbralos y cuézalos 10 minutos. Sírvalos en seguida, mientras el resto se va cociendo.

Para preparar la salsa teriyaki *en casa, mezcle en un cazo 125 ml de salsa de soja clara y de mirin con 2 cucharadas de azúcar. Remuévalo hasta que se haya disuelto, llévelo a ebullición y baje el fuego hasta que se haya reducido a la mitad. Retire el cazo del fuego y espere a que se enfríe. Si no encuentra fideos al huevo frescos cómprelos secos, hiérvalos según el envoltorio y déjelos secar.*

ESPÁRRAGOS MACERADOS EN ACEITE DE SÉSAMO CON FIDEOS

PARA 4 PERSONAS

12 espárragos frescos

aceite de sésamo tostado

115 g de fideos chinos al huevo, secos y finos

Aliño

4 cucharadas de *mirin* o jerez dulce

2 cucharadas de vinagre de arroz

1 cucharada de *kechap manis* (*véase la sugerencia*)

Aderezo

semillas de sésamo tostadas (*véase pág. 64*)

hojas de menta fresca

La simplicidad de esta exquisita ensalada realza el sabor de los espárragos frescos cuando es temporada, pero también convierte los espárragos enlatados en un ligero y apetitoso primer plato durante el resto del año. Es deliciosa tanto fría como caliente, así que puede prepararla con antelación para evitar las prisas de última hora y poder atender a los invitados. Si desea un primer plato un poco más sustancioso, añádale láminas finas de salmón o jamón curado.

Si utiliza espárragos enteros, retire primero la parte leñosa del tallo. Ponga los espárragos en un cuenco, úntelos con el aceite de sésamo y resérvelos mientras mezcla todos los ingre-

dientes del aliño en otro cuenco. Puede continuar con la receta en este punto o cubrir los dos boles y dejarlos enfriar en la nevera de 1 a 2 horas.

Entretanto ponga los fideos en una cazuela con agua hirviendo y déjelos 3 minutos, hasta que se hayan ablandado, o bien siga las instrucciones que indica el envoltorio. Escúrralos, páselos por agua fría y vuelva a escurrirlos. Cúbralos y guárdelos en la nevera si no va a utilizarlos inmediatamente.

Caliente una parrilla a fuego vivo y ase los espárragos, dándoles la vuelta de vez en cuando, durante 3–5 minutos, según lo gruesos que sean, hasta que estén tiernos. Incorpore los espárragos calientes al aliño y mézclelos con los fideos. Espolvoree el plato con semillas de sésamo y adórnelo con hojas de menta. Sírvalo caliente o frío.

El kechap manis es una salsa de soja espesa y oscura que se utiliza en la cocina indonesia. La encontrará en la sección de comida exótica en algunos supermercados, o con las demás salsas de soja, y también en tiendas de alimentación oriental. Entre otros nombres que pueden aparecer en la etiqueta está el de «kechap bentang manis» o simplemente «salsa de soja dulce».

CUCHARAS DE FIDEOS

PARA 12 CUCHARAS

55 g de fideos de trigo sarraceno, secos y finos, o cualquier otro tipo de fideo fino, como los japoneses *somen*

115 g de carne de cangrejo envasada (peso escurrido), presionándola para eliminar el exceso de líquido

2 cucharadas de perejil fresco picado muy fino

unas 2 cucharadas de zumo de limón recién exprimido

sal y pimienta

una pizca de pimentón dulce

Éste es un aperitivo ideal para una fiesta, fácil de preparar y que puede dejar listo con antelación. Presenta un aspecto muy elegante si lo sirve en cucharas soperas chinas, que encontrará en la mayoría de las tiendas chinas a buen precio; utilícelas todas del mismo color o bien escoja una variedad de motivos orientales. Si no tiene cucharas, sirva pequeños montoncitos de fideos sobre rodajas de pepino o bien unas hojas de achicoria que sean resistentes. Para esta receta se recomiendan fideos japoneses de trigo sarraceno, pero cualquier fideo fino sirve, así que incluso puede prepararlos variados, si lo desea. Los fideos al té verde quedan muy atractivos.

Puede preparar la ensalada y dejarla en las cucharas con antelación, pero asegúrese de sacarlas de la nevera 15 minutos antes de servirlas, para que el sabor no quede menguado por el frío.

Ponga los fideos en una cazuela con agua hirviendo y déjelos 4 minutos, hasta que se hayan ablandado, o bien siga las instrucciones del envoltorio. Escúrralos, páselos por agua fría y vuelva a escurrirlos.

Desmenuce la carne de cangrejo en un bol. Añada el perejil y 2 cucharadas de zumo de limón, la sal, la pimienta y un poquito de pimentón. Agregue un poco más de zumo de limón si lo desea. Mezcle los fideos con el cangrejo.

Utilice una cantidad pequeña de fideos por cuchara. Enrósquelos con un tenedor y colóquelos sobre cada una de ellas, con los extremos en la parte de abajo. Prosiga hasta haber utilizado todos los ingredientes.

Para obtener un sabor distinto, mezcle los fideos con atún de lata bien escurrido y desmenuzado, cilantro y zumo de lima al gusto, o bien pruebe con una salsa teriyaki casera (véase pág. 21), gambitas cocidas y picadas y eneldo fresco picado.

ENSALADA DE ESPINACAS CON FIDEOS FRITOS

PARA 4 PERSONAS

80 g de fideos de arroz, secos y gruesos

140 g de hojas de espinacas, bien lavadas y secas

100 g de brotes de soja

100 g de castañas de agua envasadas (peso escurrido), cortadas en rodajas

2 huevos duros, pelados y picados (*véase* la sugerencia)

4 lonchas de beicon, sin corteza y fritas hasta que estén crujientes

Fideos fritos (opcional)

55 g de fideos chinos al huevo frescos, medianos

aceite de cacahuete o de girasol, para freír

Aliño agridulce

2 chalotes picados finos

125 ml de aceite de girasol

80 g de azúcar lustre

2¹/₂ cucharadas de ketchup

2 cucharadas de vinagre de vino de arroz o blanco

1 cucharada de salsa Worcestershire

sal y pimienta

En esta deliciosa ensalada de sabor oriental, los suaves fideos de arroz se mezclan con las hojas de espinaca y componen la base del plato, mientras que los fideos al huevo fritos le dan un toque crujiente. La mayoría de las recetas de ensaladas aconsejan hojas tiernas, pero ésta queda mejor con hojas ligeramente más viejas porque tienen más textura.

Empiece por dejar los fideos de arroz en un cuenco con agua tibia 20 minutos, hasta que se ablanden, o bien cuézalos según indique el envoltorio. Escúrralos bien y resérvelos.

Puede adquirir bolsas de fideos fritos ya hechos en cualquier colmado oriental, pero si los quiere hacer en casa caliente aceite en un wok o una sartén grande hasta que al dejar caer un trozo de fideo éste burbujee inmediatamente. Fría los fideos durante 1 minuto, hasta que se separen y estén dorados y crujientes. Retírelos con una espumadera o unas pinzas y déjelos escurrir sobre papel de cocina.

Bata todos los ingredientes del aliño en un bol. No los mezcle en una batidora ni picadora.

Justo antes de servir, mezcle las hojas de espinaca con los fideos de arroz, los brotes de soja y las castañas de agua, y repártalo entre 4 platos. Vierta una buena cucharada de aliño encima de cada ración y añada el huevo y el beicon troceado. Adórnelo con los fideos fritos.

Los huevos duros aportan más sustancia a esta ensalada. Para prepararlos, póngalos en un cazo y añada el agua hirviendo suficiente para cubrirlos. Vuelva a llevar el agua a ebullición, baje el fuego y déjelos cocer 10 minutos. Escúrralos y enfríelos bajo el chorro de agua fría, después quíteles la cáscara y píquelos.

PARA 4–6 PERSONAS

2 pechugas de pollo sin piel

2 litros de agua

1 cebolla, con la piel y cortada por la mitad

1 diente de ajo grande cortado por la mitad

1 trozo de jengibre fresco de 1 cm, pelado y cortado en rodajitas

4 granos de pimienta negra ligeramente majados

4 clavos

2 vainas de anís estrellado

sal y pimienta

1 zanahoria pelada

1 tallo de apio picado

100 g de mazorquitas de maíz, cortadas por la mitad longitudinalmente y picadas

2 cebolletas cortadas en tiras finas

115 g de fideos de arroz, secos y del tipo más fino

SOPA DE POLLO CON FIDEOS

La sopa de pollo con fideos puede ser algo tan casero o tan sofisticado como usted quiera. En esta receta le damos un toque oriental y la convertimos en un primer plato para una comida asiática. Ponga las pechugas y el agua en una cazuela y llévelo a ebullición. Reduzca la temperatura al mínimo y elimine la espuma de la superficie. Incorpore la cebolla, el ajo, el jengibre, los granos de pimienta, los clavos, el anís estrellado y una pizca de sal, y déjelo todo a fuego suave 20 minutos o hasta que el pollo esté tierno y cocido del todo. Entretanto ralle la zanahoria a lo largo por el lado más ancho del rallador, para obtener tiras largas y finas.

Cuele el pollo y reserve 1,2 litros de caldo pero descarte el resto de los ingredientes. (Puede dejar enfriar el caldo y guardarlo en la nevera toda la noche, para que la grasa que pueda quedar se solidifique y pueda eliminarla al día siguiente.) Vuelva a poner el caldo en la cazuela limpia, con la zanahoria, el apio, las mazorquitas y la cebolleta, y llévelo a ebullición. Hiérvalo hasta que el maíz esté tierno y a continuación añada los fideos y espere 2 minutos.

Entretanto pique el pollo e incorpórelo al caldo, donde lo dejará 1 minuto o hasta que se caliente y los fideos estén cocidos. Salpimiente al gusto.

Si no tiene ninguna de las verduras de la lista, puede utilizar otros ingredientes, como maíz dulce enlatado, hongos de la paja escurridos, repollo de Milán cortado en tiras finas y pimiento rojo, naranja o amarillo cortado en dados. Los fideos chinos al huevo finos también saben muy bien con esta sopa.

Si cree que los fideos son un simple ingrediente de los salteados, las recetas de este capítulo le harán cambiar de opinión. En Asia los fideos se utilizan habitualmente para deliciosas ensaladas y sopas. Cualquiera que haya viajado al Lejano Oriente estará familiarizado con los numerosos puestos callejeros que ofrecen una infinita variedad de sopas y ensaladas a cualquier hora del día. Puede adaptar este concepto a su vida cotidiana, ya que las recetas que aquí se incluyen son adecuadas para un almuerzo, un desayuno-almuerzo, una cena o cualquier otro momento del día. Son lo que usted necesita si no es de los que sigue una alimentación tradicionalmente occidental. Con un poco de organización puede llevarse estos platos a la oficina para la hora del almuerzo o añadirle un toque especial a una comida al aire libre de fin de semana.

Las ensaladas de fideos son rápidas y sencillas de preparar, y llevan una gran variedad de ingre-

SEGUNDA PARTE PLATOS RECONFORTANTES

dientes frescos tan diversos como marisco, pato asado o fruta y verdura frescas, con un original toque de especias.

Existen pocas cosas que reconforten más que un aromático cuenco con una sopa de fideos oriental. Sólo el aroma ya nos hace sentir bien y estimula nuestras papilas gustativas. Las espesas y suculentas sopas tailandesas con coco le darán energía para todo el día, mientras que los consomés resultan ideales cuando quiere algo más ligero pero igualmente reconfortante.

Déjese llevar a un nuevo universo de sabores de la mano de las recetas de este capítulo.

ZARU SOBA

PARA 4 PERSONAS

250 g de fideos de trigo sarraceno, secos y finos

2 láminas de alga *nori* seca, tostadas (*véase* la sugerencia) y cortadas en tiras finas

Salsa para mojar

450 ml de agua

1/2 cucharadita de gránulos de *dashi*

125 ml de salsa de soja oscura

hasta 175 ml de *mirin* o jerez dulce

Para servir

daikon rallado (rábano blanco japonés) o rábano rojo

jengibre encurtido cortado en rodajas finas

cebolletas cortadas en rodajas muy finas

pasta de *wasabi*

En Japón, este plato es de los más solicitados durante el caluroso verano en los numerosos establecimientos donde sirven fideos. Es muy fácil de preparar, pero asegúrese de que los fideos están bien fríos antes de servirlos. Tradicionalmente se sirven en una bandeja lacada con una esterilla de bambú que deja escurrir el exceso de agua. Quedan igualmente atractivos en un bol de cristal metido en otro cuenco más grande con hielo.

Prepare la salsa para mojar con varias horas de antelación, para que también tenga tiempo de enfriarse. Lleve el agua a ebullición, añada los gránulos de caldo *dashi* con la salsa de soja y 125 ml de *mirin*; remueva hasta que los gránulos se hayan disuelto. Pruébelo y añada un poco más de *mirin* si lo desea. Deje enfriar la salsa y guárdela en la nevera hasta que esté bien fría.

Hierva los fideos 3 minutos hasta que se ablanden, o bien siga las instrucciones del envoltorio. Escúrralos y déjelos en un cuenco con agua fría, removiéndolos con la mano para eli-

minar el exceso de almidón. Póngalos en otro bol con agua fría y guárdelos en la nevera hasta la hora de servirlos.

Divida la salsa en boles individuales. Apile los fideos sobre una esterilla o una fuente, y esparza unas cuantas tiras de *nori* por encima. Sirva a cada comensal un plato con el *daikon*, el jengibre encurtido, la cebolla y el *wasabi* por separado. Utilice unos palillos chinos o un tenedor para añadir uno de estos ingredientes a un bocado de fideos y después mójelos en la salsa.

El alga nori *se vende en láminas finas en tiendas de alimentación oriental o de dietética. Para tostarlas, sosténgalas con unas pinzas de cocina a unos 5–7 cm sobre la llama del fogón y tuéstelas por ambos lados. A continuación, córtelas con unas tijeras en tiras bien finas.*

ENSALADA DE PATO PEQUINÉS

PARA 4 PERSONAS

¹/₂ pato de Pequín, que puede adquirir en un establecimiento chino de comida para llevar

450 g de fideos *hokkien* frescos

5 cucharadas de salsa *hoisin*

5 cucharadas de salsa de ciruelas

1 pepino pequeño

4 cebolletas

Los sabores de esta ensalada le resultarán familiares si ha probado el pato pequinés en algún restaurante chino, donde los trocitos de carne se enrollan en unos finos envoltorios junto con rodajitas de pepino y cebolleta. En este caso, reemplazamos los envoltorios de arroz por los redondos y gruesos fideos *hokkien*. Como cocinar un pato a la pequinesa, con su piel crujiente y una carne tan tierna, es un asunto que precisa 2 días, probablemente es mejor comprar medio pato ya preparado en un restaurante o un colmado chino. Si no es posible, ase 2 pechugas de pato en casa (*véase* pág. 16).

Empiece por preparar el pato o ase las pechugas y déjelas enfriar. Retire la piel crujiente y córtela en tiras finas, a continuación haga lo mismo con la carne y guárdelas por separado. No hará falta cocer los fideos pero sí dejarlos en remojo con agua tibia para que se separen; escúrralos después. Entretanto mezcle las salsas *hoisin* y de ciruelas en un cuenco grande y añada los fideos cuando estén bien escurridos. Incorpore la piel del pato al cuenco y remueva.

Corte el pepino por la mitad longitudinalmente, retire las semillas con una cucharita y después córtelo en rodajitas finas e incorpórelas a los fideos. A continuación, corte las cebolletas en diagonal y añádalas al cuenco. Mezcle los ingredientes con las manos para que queden bien empapados de la salsa.

Pase los fideos a una fuente y disponga la carne de pato encima.

Si no encuentra fideos hokkien, utilice cualquier otro tipo de fideo grueso como el udon o alguna de las marcas que venden en colmados orientales, o bien hierva unos fideos chinos al huevo, secos y gruesos, 5 minutos o siga las instrucciones del envoltorio.

ENSALADA DE PESCADOR
TAILANDESA

PARA 4 PERSONAS

20 langostinos cocidos

20 mejillones cocidos
en sus valvas

55 g de setas de cardo,
limpias

2 cebolletas cortadas
en rodajas finas

3 hojas de lima *kafir*
cortadas en tiras finas

1 tallo de limoncillo, sólo
la parte central, picado fino

1/2 cebolla roja cortada
en rodajas muy finas

100 g de fideos de arroz,
secos y de tamaño medio

Aliño tailandés de coco

125 ml de coco cremoso

3 cucharadas de zumo
de lima

1 1/2 cucharadas de
nam pla (salsa de pescado
tailandesa)

1 1/2 cucharadas de azúcar
moreno claro

1–2 guindillas rojas frescas,
al gusto, despepitadas y
cortadas en rodajas finas

1 diente de ajo pequeño,
majado

El método más práctico para preparar esta
ensalada consiste en comprar los langostinos
ya cocidos y pelados y los mejillones también
cocidos, aunque es evidente que si los cuece en
casa le resultará más barata. Para cocer los langostinos, lleve una cazuela con agua a ebullición
con varias rodajas de limón, un chalote cortado
en rodajas y una cucharada de granos de
pimienta negra ligeramente majados, mientras
pela los langostinos y les quita el hilo intestinal
(*véase* pág. 42). Baje la temperatura al mínimo

y escálfelos hasta que se vuelvan opacos y se
curven. Escúrralos y páselos inmediatamente a
un cuenco con agua helada. Cuando estén fríos
séquelos con papel de cocina y guárdelos en
la nevera hasta que los necesite. Para cocer los
mejillones, frótelos bien y descarte los que tengan las valvas rotas o los que no se cierren al
golpearlos ligeramente. Póngalos en una cazuela
a fuego vivo y agítela 2 o 4 minutos hasta que se
abran. Tire los que no se hayan abierto. Enfríelos
en agua helada y después guárdelos en la nevera.

Para preparar el aliño, bata todos los ingredientes en un cuenco grande hasta que el azúcar se haya disuelto. Incorpore los langostinos,
los mejillones, las setas, las hojas de lima, la
cebolleta, el limoncillo y la cebolla roja, y cubra
la ensalada hasta la hora de servirla.

Entretanto deje los fideos en remojo en un
cuenco con agua tibia durante 20 minutos, hasta
que se ablanden, o bien siga las instrucciones
del envoltorio. Escúrralos bien.

Sirva los fideos repartidos en 4 cuencos,
ponga la ensalada por encima y riéguela con
un poco más de aliño.

*Las hojas de lima kafir confieren un sabor cítrico característico a muchos
platos tailandeses. Encontrará estas hojas de color verde brillante con los
productos refrigerados de un colmado oriental y de algunos supermercados
grandes. Si no las encuentra sustitúyalas por ralladura de lima.*

ENSALADA DE POLLO CON SÉSAMO

PARA 4 PERSONAS

200 g de fideos chinos
al huevo, secos y gruesos

100 g de tirabeques

2 tallos de apio

4 muslos de pollo cocidos
y sin piel

Aliño de sésamo

3 cucharadas de salsa de
soja oscura

3 cucharadas de pasta de
sésamo china

$^{1}/_{2}$ cucharada de salsa *hoisin*

$^{1}/_{2}$ cucharada de azúcar

$^{1}/_{2}$–I cucharada de salsa
de guindilla dulce (*véase*
pág. 76), al gusto

I cucharadita de vino
de arroz

$^{1}/_{2}$ cucharada de agua
hirviendo

Esta ensalada sabe mejor si todos los ingredientes están fríos de la nevera, así que prepare el aliño y hierva los fideos con varias horas de antelación. También puede servirla como componente de un bufé en una fiesta, en cuyo caso deberá doblar o triplicar las cantidades. Otros fideos adecuados para esta ensalada son los de arroz y los de trigo sarraceno gruesos.

Para el aliño, bata la salsa de soja con la pasta de sésamo, la salsa *hoisin,* el azúcar, la salsa de guindilla y el vino de arroz, después añada el agua hirviendo y siga batiendo hasta que el azúcar se haya disuelto. Deje enfriar el aliño, cúbralo y guárdelo en la nevera hasta que lo necesite.

Entretanto cueza los fideos en agua hirviendo 5 minutos, hasta que se ablanden, o bien siga las instrucciones del envoltorio. Escúrralos, páselos por agua fría y escúrralos de nuevo. Resérvelos.

Con un cuchillo pequeño y afilado corte los tirabeques en tiras alargadas y finas, y el apio en

tiras finas. A continuación, trocee la carne con las manos. Si no va a servir la ensalada inmediatamente, cubra el pollo y las verduras, y guárdelos en la nevera.

Antes de servir este plato ponga los fideos, el pollo, los tirabeques y el apio en una ensaladera. Remueva bien para que se mezclen los ingredientes y vierta el aliño por encima.

Prepare el doble de aliño y guárdelo en la nevera en un frasco para utilizarlo con cualquier ensalada rápida. También queda estupendo con unos fideos de trigo sarraceno fríos y gambas o salmón escalfados, o bien en una ensalada crujiente de tiras finas de col con zanahoria rallada, calabacín y pimientos.

ENSALADA DE
MANGO CRUJIENTE

PARA 4 PERSONAS

140 g de fideos de celofán

2 mangos grandes

1 pepino grande

4 cucharadas de cacahuetes salados, picados

2 cucharadas de semillas de sésamo tostadas (pág. 64)

2 cucharaditas de azúcar moreno claro

Aliño tailandés

125 ml de *nam pla* (salsa de pescado tailandesa)

1 tallo de limoncillo, sólo la parte central, picado fino

1/2–1 guindilla roja fresca, al gusto, despepitada y cortada en rodajas finas

4 cucharadas de azúcar

4 cucharadas de hojas de menta fresca cortadas finas

2 cucharadas de cilantro fresco picado fino

la ralladura fina y el zumo de 1 lima

En los soleados y calurosos días de verano, cuando no apetece cocinar, esta refrescante ensalada es justo lo que necesita. También queda deliciosa servida después de un plato principal especiado en lugar de postre. Ponga los fideos en remojo en un cuenco con agua tibia unos 20 minutos, hasta que se ablanden. También puede prepararlos según las indicaciones del envoltorio. Escúrralos bien y resérvelos mientras prepara el resto. Para el aliño, mezcle en un bol el *nam pla* con el limoncillo, la guindilla, el azúcar, la menta, el cilantro y la ralladura y el zumo de lima, removiendo hasta que se haya disuelto el azúcar. Pruébelo y añada un poco más de los ingredientes, al gusto, hasta que obtenga el sabor deseado. Resérvelo.

Para preparar los mangos, ponga uno sobre una tabla de picar y córtelo longitudinalmente

Esta ensalada queda fantástica para una comida con invitados, presentada en un plato forrado con una hoja de banano, que puede comprar en establecimientos de alimentación tailandeses. También puede hacerla más sustanciosa añadiéndole unas gambitas cocidas y peladas y una cebolla roja picada muy fina.

por ambos lados del hueso. Pélelo, corte la pulpa en rodajas finas y añádalo al aliño; haga lo mismo con el otro mango. Corte el pepino por la mitad longitudinalmente, extraiga las semillas con una cucharita y después córtelo en medias rodajitas y añádalo al mango. Mezcle los ingredientes con cuidado. Puede servir la ensalada inmediatamente o taparla y dejarla enfriar en la nevera 1 o 2 horas. Entretanto mezcle los cacahuetes con las semillas de sésamo y el azúcar y resérvelo.

Divida los fideos entre 4 platos, ponga encima el mango y el pepino y aliñe generosamente. Espolvoree con la mezcla de cacahuetes y sésamo.

LAKSA DE GAMBAS

PARA 4 PERSONAS

20–24 gambas grandes, crudas y sin pelar

450 ml de caldo de pescado

una pizca de sal

450 ml de leche de coco

2 cucharaditas de *nam pla* (salsa de pescado tailandesa)

1/2 cucharada de zumo de lima

115 g de fideos de arroz, secos y de tamaño medio

55 g de brotes de soja

Para decorar

cilantro fresco picado

Pasta laksa

6 ramitas de cilantro

3 dientes de ajo grandes, majados

1 guindilla roja fresca, despepitada y picada

1 tallo de limoncillo, sólo la parte central, picado

1 trozo de jengibre fresco de 2,5 cm, pelado y picado

1 1/2 cucharadas de pasta de gambas

1/2 cucharadita de cúrcuma

2 cucharadas de aceite de cacahuete

Compre gambas sin pelar, si es posible con las cabezas intactas, así podrá aprovechar las cáscaras y las cabezas para darle más sabor al caldo.

Pele las gambas y quíteles el hilo intestinal (*véase* la sugerencia). Ponga el caldo de pescado, la sal y las cabezas, la cáscara y las colas de las gambas en una cazuela a fuego vivo y llévelo a ebullición. Baje el fuego y déjelo 10 minutos.

Mientras, prepare la pasta *laksa*. Ponga todos los ingredientes menos el aceite de cacahuete en un robot de cocina y mézclelos. Con el motor en marcha añada el aceite hasta obtener una pasta. (Si su robot es demasiado grande para funcionar con estas pequeñas cantidades, prepare la salsa en un mortero o haga el doble de cantidad y guarde la pasta sobrante en un recipiente hermético en la nevera para otro día.)

Caliente 1 cucharadita de aceite en una cacerola a fuego vivo y saltee la pasta hasta que desprenda aroma. Cuele el caldo por un colador forrado con un trozo de muselina. Agréguelo a la pasta *laksa,* junto con la leche de coco, el *nam pla* y el zumo de lima. Llévelo a ebullición, baje el fuego, cúbralo y déjelo 30 minutos.

Entretanto deje los fideos en remojo en un cuenco con agua tibia 20 minutos, hasta que se hayan ablandado, o prepárelos según las instrucciones del envoltorio. Escúrralos y resérvelos.

Incorpore las gambas y los brotes de soja a la sopa y siga cociendo hasta que las gambas se vuelvan opacas y se curven. Divida los fideos entre 4 boles y sirva la sopa encima, asegurándose de que las gambas quedan bien repartidas. Adórnela con el cilantro y sírvala.

Para quitarle el hilo intestinal a una gamba, pélela y quítele la cabeza. Puede dejar la cola o sacarla, como desee. Sostenga la gamba con el dorso hacia arriba y haga un corte longitudinal con un cuchillo pequeño desde la cabeza hasta el extremo de la cola. Utilice la punta del cuchillo para extraer el hilo negro.

SOPA TAILANDESA DE POLLO AL COCO

PARA 4 PERSONAS

115 g de fideos de celofán secos

1,2 litros de caldo de pollo o de verduras

1 tallo de limoncillo majado

1 trozo de jengibre fresco de 1 cm, pelado y picado muy fino

2 hojas de lima *kafir* frescas, cortadas en tiras finas

1 guindilla roja fresca, o al gusto, despepitada y cortada en rodajas finas

2 pechugas de pollo deshuesadas y sin piel, cortadas en tiras finas

200 ml de coco cremoso

2 cucharadas de *nam pla* (salsa de pescado tailandesa)

1 cucharada de zumo de lima natural

55 g de brotes de soja

la parte verde de 4 cebolletas, en rodajitas finas

hojas de cilantro frescas, para decorar

Ésta es una de las típicas sopas que se venden en los puestos callejeros en toda Tailandia, y constituye una comida completa. Disfrútela a cualquier hora del día.

Ponga los fideos en remojo en un cuenco con agua tibia 20 minutos, hasta que se hayan ablandado, o bien siga las instrucciones del envoltorio. Escúrralos bien y resérvelos.

Entretanto lleve el caldo a ebullición en una cazuela grande a fuego vivo. Reduzca la temperatura, añada el limoncillo, el jengibre, las hojas de lima y la guindilla, y espere 5 minutos.

Incorpore el pollo y deje cocer 3 minutos más o hasta que esté escalfado. Agregue la crema de coco, el *nam pla* y 1 cucharada de zumo de lima, y siga cociendo 3 minutos más. Añada los brotes de soja y la cebolleta, y espere otro minuto. Pruebe la sopa y añada un poco más de *nam pla* o de zumo de lima si lo desea. Retírela del fuego y descarte el limoncillo.

Divida los fideos entre 4 boles. Vuelva a llevar la sopa a ebullición y viértala en los boles. La temperatura de la sopa calentará los fideos. Decórela con unas hojitas de cilantro.

Guarde los brotes de soja en la nevera en cuanto llegue a casa tras la compra, para que no se reblandezcan, y fíjese siempre en la fecha de caducidad. Retire los que hayan ennegrecido o estén demasiado blandos, pero si sólo están un poquito mustios déjelos en agua fría durante 15 minutos para que recuperen la textura.

CALDO DE
SETAS CHINAS

PARA 4 PERSONAS

15 g de orejas de Judas chinas, secas

115 g de fideos chinos al huevo, secos y finos

2 cucharaditas de arrurruz o harina de maíz

1 litro de caldo de verduras

1 trozo de jengibre fresco de 5 cm, pelado y cortado en rodajitas

2 cucharadas de salsa de soja oscura

2 cucharaditas de *mirin* o jerez dulce

1 cucharadita de vinagre de arroz

4 coles chinas pequeñas, cortadas por la mitad

sal y pimienta

cebollino normal o chino, fresco y troceado, para decorar

Ésta es una sopa muy reconfortante. El jengibre le confiere un sutil sabor especiado y tiene fama de aliviar dolores de cabeza y resfriados. Ponga las setas en un cuenco refractario y vierta por encima el agua hirviendo suficiente para cubrirlas; déjelas en remojo 20 minutos o hasta que estén tiernas. Entretanto hierva los fideos unos 3 minutos, hasta que se hayan ablandado, o siga las instrucciones del envoltorio. Escúrralos bien, páselos por agua fría para detener la cocción y resérvelos.

Cuele las setas con un colador forrado con un paño de cocina y reserve el líquido. Ponga el arrurruz en un wok o una cazuela grande y gradualmente vaya añadiendo el líquido de las setas reservado. Puede dejarlas enteras o cortarlas, según el tamaño que tengan. Agregue el caldo de verduras, el jengibre, la salsa de soja, el *mirin,* el vinagre de arroz, las setas y la col, y lleve la sopa a ebullición, removiendo constantemente. Reduzca la temperatura y cuézala a fuego suave durante 15 minutos.

Salpimiente al gusto (recuerde que la salsa de soja es salada, así que quizá no sea necesario añadir más sal: pruebe antes la sopa). Con una espumadera retire los trozos de jengibre.

Divida los fideos entre 4 boles, vierta la sopa por encima y adórnela con el cebollino.

Las orejas de Judas chinas secas adquieren un color caoba y una delicada textura foliácea cuando se rehidratan, lo que las convierte en un ingrediente popular de las sopas chinas. Existen otros tipos de setas chinas, que también resultan adecuadas para esta sopa.

CALDO
DE MONJE

PARA 4 PERSONAS

1 litro de caldo de verduras

1 tallo de limoncillo, sólo la parte central, picado fino

1 cucharadita de pasta de tamarindo (*véase* pág. 72)

una pizca de copos de guindilla roja seca, al gusto

140 g de judías verdes finas, cortadas en trozos de unos 2,5 cm

1 cucharada de salsa de soja clara

1 cucharadita de azúcar moreno claro

el zumo de 1/2 lima

250 g de tofu de textura firme, escurrido y cortado en dados pequeños

2 cebolletas cortadas en rodajas diagonales

55 g de setas *enoki*, con la parte más dura del tallo cortada

400 g de fideos *udon* frescos

A pesar de su nombre, este festín vegetariano, con su refrescante sabor agridulce y el toque picante que le da la guindilla, no tiene nada de espartano. Busque fideos *udon* envasados al vacío en la sección de comida oriental del supermercado, pero si no los encuentra puede utilizar la variedad etiquetada como «directos al wok» o unos fideos chinos al huevo gruesos ya cocidos; todos son adecuados para esta sopa.

Ponga el caldo de verduras en una cazuela grande con el limoncillo, la pasta de tamarindo y los copos de guindilla, y llévelo a ebullición, removiendo hasta que se disuelva el tamarindo. Reduzca la temperatura, añada las judías verdes y déjelo cocer a fuego suave unos 6 minutos. Agregue la salsa de soja, el azúcar moreno y el zumo de lima. Pruébelo y añada un poco más de azúcar, de zumo de lima o de guindilla hasta alcanzar el punto agridulce que desee.

Incorpore el tofu y la cebolleta, y siga cociendo 1 o 2 minutos más o hasta que las judías verdes estén tiernas pero no reblandecidas y el

tofu esté caliente. Añada las setas *enoki*. Vierta agua hirviendo sobre los fideos para separarlos y a continuación divídalos entre 4 cuencos grandes. Reparta la sopa entre los boles y sírvala.

Las delicadas y finas setas enoki, procedentes de Japón, se encuentran en la sección de verduras de muchos supermercados. Tienen un tallo largo y fino y un pequeño sombrerito, y le dan una textura ligeramente crujiente a sopas y ensaladas. Saben menos a tierra que otros tipos de setas.

PARA 4 PERSONAS

1 litro de caldo de pescado
o de verduras

1 diente de ajo grande

1/2 cucharadita de salsa de
soja clara

4 filetes de salmón de unos
140 g cada uno, sin piel

aceite de cacahuete o de
girasol, para asar

140 g de fideos *ramen* secos
o de fideos chinos al huevo,
finos

100 g de hojas de espinaca
tiernas

4 cebolletas picadas

Para servir

100 g de brotes de soja
(*véase pág. 44*)

1 guindilla verde fresca,
despepitada y en rodajitas

hojas de cilantro fresco

Glaseado teriyaki

2 1/2 cucharadas de sake

2 1/2 cucharadas de salsa
de soja oscura

2 cucharadas de *mirin*
o jerez dulce

1/2 cucharada de azúcar
moreno claro

1/2 diente de ajo picado fino

1 trozo de jengibre fresco
de 0,5 cm, pelado y picado
muy fino

FIDEOS RAMEN CON SALMÓN

Cuando pruebe este plato, a medio camino entre una sopa y una ensalada, tendrá la sensación de estar en Japón. Los fideos *ramen* secos son los que vienen en ovillos apretados, a veces simplemente etiquetados como «fideos para saltear». Pero si no los encuentra sustitúyalos por cualquier tipo de fideo al huevo chino o japonés. Mientras calienta el grill lleve el caldo a ebullición con el diente de ajo y la salsa de soja en una cazuela, y ponga agua a hervir en otra cazuela para cocer los fideos. Mezcle los ingredientes del glaseado y unte los filetes de salmón. Pinte ligeramente el grill con aceite y ase el salmón aproximadamente 4 minutos por lado. La carne debería desmenuzarse con facilidad y el centro conservar todavía un tono rosado. Retírelo del grill y resérvelo.

Hierva los fideos 3 minutos hasta que se ablanden, o siga las instrucciones del envoltorio. Escúrralos y páselos por agua fría. Retire el ajo del caldo y deje que hierva de nuevo. Incorpore las hojas de espinaca y la cebolleta, y espere hasta que se ablanden un poco. Con una espumadera, retire las espinacas y la cebolleta, y divídalas entre 4 cuencos grandes. Reparta los fideos entre los boles y ponga un filete de salmón en cada uno de ellos. Con cuidado, vierta el caldo hirviendo en cada bol, y espolvoree la sopa con los brotes de soja, las rodajitas de guindilla y las hojas de cilantro.

La salsa de soja es uno de los condimentos más utilizados en la cocina oriental. Está hecha de soja fermentada y tiene un sabor salado. Se vende en las variedades clara y oscura. La clara es la más salada de las dos.

A la hora de cocinar con rapidez, los fideos y el wok forman una pareja insuperable. Los platos de fideos salteados son fáciles de preparar, sacian el apetito y están listos en un santiamén. Las recetas de este capítulo son tan atractivas a la vista como al paladar, lo que las hace ideales para una reunión informal con invitados o una cena familiar. Constituyen comidas completas de un solo plato, lo cual significa que pasará menos tiempo cocinando ¡y lavando platos!

A pesar de que el salteado es un método de cocción rápido, necesitará un poco de tiempo para preparar los ingredientes, aunque puede ir cortándolos y picándolos mientras hierve o deja en remojo los fideos. Si piensa preparar salteados de forma habitual, es aconsejable tener en casa verduras ya preparadas, salsas envasadas y fideos de cocción rápida. Cuando pique los ingredientes para un salteado procure que todos los trozos tengan el mismo tamaño, ya se trate

TERCERA PARTE SALTEADOS ORIGINALES

de verdura, carne roja o blanca, o pescado, para que estén listos para comer al mismo tiempo. Ponga primero en el wok los ingredientes que requieren más tiempo y vaya añadiendo los de cocción más rápida. El wok es ideal para las recetas de este capítulo porque se calienta en seguida y su extensa superficie hace que los ingredientes se cuezan rápidamente. También puede utilizar una sartén grande de base gruesa.

Lo más importante para un salteado es calentar el wok o la sartén antes de añadir el aceite, y que este último esté caliente antes de incorporar los ingredientes. Eso evitará que los trozos pequeños se peguen o se quemen.

PAD THAI

PARA 4 PERSONAS

200 g de fideos de arroz
secos, medianos o gruesos

2 cucharadas de azúcar
moreno claro

1 cucharada de pasta de
tamarindo o 2 cucharadas
de zumo de limón

1 cucharada de agua caliente

4 cucharadas de cacahuetes
salados

1 cucharada de aceite
de cacahuete o de girasol

1 chalote picado fino

300 g de gambas pequeñas
peladas, ya descongeladas
si las usa congeladas

2 huevos grandes, batidos

55 g de tofu de textura
firme (peso escurrido),
desmenuzado con los dedos

2 cucharadas de nam pla
(salsa de pescado tailandesa)

1 cebolleta picada fina

50 g de brotes de soja

un buen pellizco de azúcar
blanco

una pizca de copos de
guindilla seca, al gusto

cilantro fresco picado,
para adornar

El *pad thai* es el plato más típico que ofrecen los puestos callejeros tailandeses y se toma a cualquier hora del día. Deje los fideos en remojo en agua tibia 20 minutos, hasta que se ablanden, o prepárelos según indique el envoltorio. Escúrralos bien y resérvelos. Entretanto mezcle el azúcar moreno con la pasta de tamarindo y el agua caliente, removiendo hasta que el tamarindo se disuelva; resérvelo.

Caliente un wok o una sartén grande a fuego vivo y fría los cacahuetes en seco, sin añadir aceite, removiendo hasta que estén dorados. Sáquelos inmediatamente, píquelos bien finos y resérvelos.

Cuando quiera empezar a cocinar, recaliente el wok a fuego vivo, añada el aceite y espere hasta que esté reluciente. Saltee el chalote entre 30 segundos y 1 minuto, hasta que empiece a tener color. Incorpore las gambas y saltéelas 30 segundos. Reduzca la temperatura a la posición media, retire el chalote y las gambas a un lado del wok, agregue los huevos y remueva hasta que estén revueltos y bien cuajados (como si se tratase de un revoltillo).

Vuelva a subir la temperatura del fuego, incorpore el tofu al wok y remueva hasta que adquiera un poco de color. Añada los fideos, la mezcla de tamarindo, el *nam pla,* la cebolleta, los brotes de soja, el azúcar blanco y los copos de guindilla. Mezcle los ingredientes con la ayuda de 2 tenedores y siga salteándolos unos 2 minutos más hasta que estén bien calientes. Adorne el plato con el cilantro.

El tofu está hecho de leche de soja y figura en muchas recetas orientales como fuente vegetal de proteínas. Se vende en dos texturas diferentes, una firme y otra más blanda. Las tiendas de alimentación oriental también venden tofu frito, que puede añadirse a los fideos. Guárdelo en la nevera y fíjese en la fecha de caducidad.

FIDEOS AL ESTILO DE SINGAPUR

PARA 4 PERSONAS

200 g de fideos de arroz secos, del tipo más fino

1 cucharada de pasta de curry, media o picante, al gusto

1 cucharadita de cúrcuma

6 cucharadas de agua

2 cucharadas de aceite de cacahuete o de girasol

1/2 cebolla cortada en rodajas muy finas

2 dientes de ajo grandes, cortados en láminas finas

80 g de brécol cortado en ramitos muy pequeños

80 g de judías verdes finas, sin las puntas y cortadas en trozos de 2,5 cm

80 g de solomillo de cerdo, cortado por la mitad longitudinalmente y después en tiras finas (*véase la sugerencia*), o pechuga de pollo deshuesada y sin piel, cortada en láminas finas

80 g de gambas pequeñas cocidas y peladas, ya descongeladas si las usa congeladas

55 g de col china tipo napa o lechuga romana, cortada en tiras finas

1/4 de guindilla ojo de perdiz, o al gusto, despepitada y cortada en rodajas finas

2 cebolletas, sólo la parte verde, cortadas en tiras finas

cilantro fresco, para decorar

Puede preparar este popular plato tan suave o tan picante como desee, dependiendo de la pasta de curry que utilice y de cuánta guindilla fresca incluya. Deje los fideos en remojo en agua tibia durante 20 minutos, hasta que se ablanden, o siga las instrucciones del envoltorio. Escúrralos y resérvelos hasta que los necesite. Mientras los fideos están en remojo, ponga la pasta de curry y la cúrcuma en un bol pequeño, dilúyalas en 4 cucharadas de agua y, a continuación, reserve la mezcla.

Caliente un wok o una sartén grande a fuego vivo, añada el aceite y caliéntelo. Saltee la cebolla y el ajo 1 minuto o hasta que la cebolla se ablande. Incorpore el brécol y las judías con las otras 2 cucharadas de agua y siga salteando unos 2 minutos más. Añada el cerdo o el pollo y saltee 1 minuto. Agregue las gambas, la col y la guindilla al wok, y siga salteando 2 minutos más, hasta que la carne esté bien cocida y las verduras tiernas pero no reblandecidas. Retírelo del wok y manténgalo caliente.

Ponga la cebolleta, los fideos y la mezcla de curry en el wok. Mezcle los fideos y las cebollas y siga salteando 2 minutos, hasta que los fideos estén calientes y dorados. Vuelva a poner el resto de los ingredientes en el wok y saltéelo todo 1 minuto. Adorne con el cilantro fresco.

Para conseguir unas láminas de carne de cerdo realmente finas que se cuezan rápidamente, envuelva el solomillo en film transparente y déjelo en el congelador 20 minutos antes de cortarlo. La carne parcialmente congelada resulta más fácil de cortar, y es una técnica que también funciona con la de ternera y de cordero.

FIDEOS AL ESTILO DE SICHUÁN

PARA 4 PERSONAS

1 zanahoria grande

250 g fideos chinos al huevo, secos y gruesos

2 cucharadas de aceite de cacahuete o de girasol

2 dientes de ajo grandes, picados muy finos

1 cebolla roja grande, cortada por la mitad y en rodajas finas

125 ml de caldo de verduras o agua

2 cucharadas de salsa de soja con guindilla

2 cucharadas de pasta de sésamo china

1 cucharada de granos de pimienta de Sichuán secos, tostados y molidos (*véase la sugerencia*)

1 cucharadita de salsa de soja clara

2 coles chinas pequeñas cortadas en cuartos

Éste es un plato suculento y para los que se atreven con el picante. La salsa de soja con guindilla es habitual en la cocina de Sichuán, y aporta un sabor picante al plato. La encontrará con otras salsas chinas en algunos supermercados y en casi todos los colmados orientales. Pele la zanahoria y recorte las puntas; rállela longitudinalmente por la parte más gruesa del rallador para obtener tiras largas y finas. Resérvelas.

Cueza los fideos en una cazuela con agua hirviendo 4 minutos, hasta que se hayan ablandado, o bien siga las instrucciones del envoltorio. Escúrralos, páselos por agua fría para detener la cocción y resérvelos.

Caliente un wok o una sartén grande a fuego vivo. Añada el aceite y caliéntelo hasta que esté

reluciente. Saltee el ajo y la cebolla 1 minuto. Agregue el caldo de verduras, la salsa con guindilla, la pasta de sésamo, los granos de pimienta de Sichuán y la salsa de soja, y llévelo a ebullición, removiendo para mezclar los ingredientes. Añada los cuartos de col china y las tiras de zanahoria y siga salteando 1 o 2 minutos hasta que se hayan ablandado. Incorpore los fideos y siga salteando, utilizando 2 tenedores para mezclar los ingredientes. Sirva los fideos calientes.

Los granos de pimienta de Sichuán se venden en supermercados y tiendas de alimentación china. Fríalos en seco a fuego vivo hasta que desprendan aroma, retírelos de la sartén y una vez se hayan enfriado muélalos con la mano del mortero o en un molinillo para especias. Los granos molidos se conservan casi indefinidamente si los guarda en un recipiente hermético.

FIDEOS AGRIDULCES CON POLLO

PARA 4 PERSONAS

250 g de fideos chinos al huevo, secos y de tamaño medio

2 cucharadas de aceite de cacahuete o de girasol

1 cebolla cortada en rodajas finas

4 muslos de pollo deshuesados, sin piel y cortados en tiras finas

1 zanahoria, pelada y cortada en rodajas semicirculares finas

1 pimiento rojo, sin la membrana ni las semillas y picado fino

100 g de brotes de bambú de lata (peso escurrido)

55 g de anacardos

Salsa agridulce

125 ml de agua

1¹/₂ cucharadas de arrurruz

4 cucharadas de vinagre de arroz

3 cucharadas de azúcar moreno claro

2 cucharaditas de salsa de soja oscura

2 cucharaditas de concentrado de tomate

2 dientes de ajo grandes, picados muy finos

1 trozo de jengibre fresco de 1 cm, pelado y picado muy fino

una pizca de sal

Las salsas agridulces envasadas son una opción rápida para cuando uno no quiere entretenerse en la cocina, pero cuando disponga de tiempo pruebe la salsa de esta receta; es más ligera y menos espesa que muchas de las que se comercializan. Hierva los fideos 3 minutos, hasta que se ablanden, o bien siga las instrucciones del envoltorio. Escúrralos, páselos por agua fría, vuelva a escurrirlos y resérvelos. Entretanto, para preparar la salsa, mezcle el arrurruz con la mitad del agua y resérvelo. Mezcle el resto de los ingredientes de la salsa con el resto del agua en un cazo pequeño y llévelo a ebullición. Agregue la mezcla de arrurruz y siga hirviendo hasta que la salsa esté clara, brillante y espesa. Retírela del fuego y resérvela. (En este punto puede dejar que se enfríe y guardarla en la nevera hasta 1 semana.)

Caliente un wok o una sartén grande a fuego vivo, añada el aceite y caliéntelo hasta que esté reluciente. Saltee la cebolla 1 minuto. Incorpore

el pollo, la zanahoria y el pimiento y siga salteando 3 minutos o hasta que el pollo esté cocido. Añada los brotes de bambú y los anacardos, y remueva un poco para que éstos se doren. Agregue la salsa al wok y caliéntela hasta que empiece a burbujear. Incorpore los fideos y mézclelos con el pollo y las verduras.

El aspecto claro y brillante de estos fideos se lo da el arrurruz. Si no tiene en casa, la fécula de maíz también sirve para espesar la salsa, aunque no da ese tono brillante. Añada siempre agua o líquido de cocción al espesante para evitar que se formen grumos.

FIDEOS SALTEADOS
EN EL WOK

PARA 4 PERSONAS

2 cucharaditas de *mirin*
o jerez dulce

1 1/2 cucharaditas de salsa
de soja clara

1 cucharadita de aceite
de sésamo tostado

1/2 cucharadita de sal

115 g de carne de cordero
o pollo, cocida y deshuesada

55 g de tirabeques

1 cebolla roja pequeña

1 pimiento rojo

1 zanahoria

250 g de fideos *udon* o
ramen frescos

100 g de brotes de soja

2 cucharadas de cilantro
fresco picado

Para decorar

tiras de tortilla
(*véase* la sugerencia)

jengibre encurtido, en
rodajitas o tiras finas

semillas de sésamo tostadas
(*véase* pág. 64)

Este plato es adecuado para una comida informal. Asegúrese de tener todos los ingredientes
necesarios y resérvelos hasta que sea el
momento de ponerlos en un wok caliente
para saltearlos 1 o 2 minutos. Como la cocción
es tan rápida, espere a que los comensales se
hayan sentado a la mesa antes de calentar el
wok. Mezcle el *mirin* con la salsa de soja, el
aceite y la sal en un bol hasta disolver la sal.
Reserve el aliño mientras prepara los demás

ingredientes, añadiéndolos al cuenco a medida
que vaya terminando.

Retire el exceso de grasa que pueda tener
la carne de cordero o la piel del pollo y córtela
en tiras finas. Corte los tirabeques en tiras largas
y delgadas, y la cebolla por la mitad transversal-
mente y después en rodajitas semicirculares.
Despepite el pimiento y córtelo en tiras finas.
Luego pele la zanahoria y rállela gruesa.

Incorpore los fideos y los brotes de soja al
cuenco y con las manos remueva los ingredientes. Ahora puede cubrir y dejar el cuenco en la
nevera hasta 2 horas, o seguir con la receta.

Cuando quiera empezar a cocinar el plato,
caliente un wok o una sartén grande a fuego
vivo. Añada la mezcla de fideos y saltéela durante 3 minutos o hasta que los ingredientes estén
calientes y las verduras tiernas. Añada el cilantro. Divida el salteado entre 4 platos y adórnelo
con las tiras de tortilla, el jengibre encurtido y
las semillas de sésamo tostadas.

*Para la tortilla, bata 1 huevo grande
con 1/2 cucharadita de agua. Caliente
1 cucharadita de aceite en una sartén
a fuego vivo. Vierta el huevo e incline la
sartén para que el huevo cubra toda
la base. Reduzca la temperatura y espere a que cuaje. Saque la tortilla de la
sartén, enróllela y córtela en tiras finas.*

PARA 4 PERSONAS

300 g de lomo o cuarto trasero de ternera, deshuesado y cortado en lonchas finas

250 g de fideos chinos al huevo, secos y gruesos

2 cucharadas de aceite de cacahuete o de girasol

225 g de espárragos frescos, sin la parte leñosa del tallo y troceados

2 dientes de ajo grandes, picados finos

1 trozo de jengibre fresco de 1 cm, pelado y picado fino

1/2 cebolla roja cortada en rodajas finas

4 cucharadas de caldo de carne o de verduras

1 1/2 cucharadas de vino de arroz

2–3 cucharadas de salsa de ostras

semillas de sésamo tostadas, para adornar (*véase la sugerencia*)

Adobo

1 cucharada de salsa de soja clara

1 cucharadita de aceite de sésamo tostado

2 cucharaditas de vino de arroz

FIDEOS CON TERNERA Y SALSA DE OSTRAS

Este plato queda mejor si deja macerar la carne, pero si tiene prisa, ponga los ingredientes del adobo en el wok junto con el caldo. Para hacer el adobo mezcle todos los ingredientes en un cuenco no metálico, añada la carne procurando que las lonchas queden bien recubiertas y déjela macerar un mínimo de 15 minutos. Entretanto hierva los fideos en una cazuela 8 minutos, hasta que estén tiernos, o bien cuézalos según indique el envoltorio. Escúrralos, páselos por agua fría, vuelva a escurrirlos y resérvelos.

Cuando vaya a preparar el plato, caliente un wok o una sartén grande a fuego vivo, añada 1 cucharada de aceite y caliéntelo. Saltee los espárragos 1 minuto, pase la carne con el adobo al wok, pero retírese un poco porque salpicará, y siga salteando hasta que la carne esté cocida a su gusto, aproximadamente 1 1/2 minutos si la quiere al punto. Retire la carne y los espárragos del wok y resérvelos.

Caliente el resto del aceite y saltee el ajo, el jengibre y la cebolla 1 minuto, hasta que la cebolla se haya ablandado. Agregue el caldo, el vino de arroz y la salsa de ostras, y llévelo a ebullición, removiendo. Vuelva a poner la carne y los espárragos en el wok, junto con los fideos. Mezcle los ingredientes con un par de tenedores y remueva hasta que los fideos estén calientes. Espolvoree el plato con las semillas de sésamo tostadas.

El tostar las semillas de sésamo realza su sabor y les da un atractivo color dorado oscuro. Fría en seco las semillas en un wok o una sartén, removiéndolas hasta que empiecen a tomar color. Retírelas inmediatamente del wok porque en cuestión de segundos se pueden quemar y adquirir un sabor amargo.

CESTITAS DE CHOW MEIN CON POLLO

PARA 4 PERSONAS

6 cucharadas de agua

3 cucharadas de salsa de soja

1 cucharada de harina de maíz

3 cucharadas de aceite de cacahuete o de girasol

4 muslos de pollo deshuesados, sin piel y picados

1 trozo de jengibre fresco de 2,5 cm, pelado y picado fino

2 dientes de ajo grandes, majados

2 tallos de apio, cortados en rodajas finas

100 g de champiñones, limpios y cortados en láminas finas

4 cestitas de fideos chinos al huevo, frescos y de tamaño medio, para servir (*véase* pág. 14)

El *chow mein* de pollo se sirve tradicionalmente con fideos de arroz fritos (*véase* la sugerencia), pero en este caso presentamos el salteado de pollo y verduras sobre unas crujientes cestitas de fideos al huevo fritos.

Disuelva la harina de maíz con el agua y la salsa de soja en un bol pequeño y reserve la mezcla.

Caliente un wok o una sartén grande a fuego vivo, añada 2 cucharadas de aceite y caliéntelo hasta que esté reluciente. Saltee el pollo unos 3 minutos o hasta que esté bien cocido. Retírelo del wok con una espumadera. Añada el resto del aceite y saltee el jengibre con el ajo y el apio 2 minutos. Incorpore los champiñones y siga salteando 2 minutos más. Retire las verduras del wok y mézclelas con el pollo.

Vierta la mezcla de harina de maíz en el wok y llévela a ebullición, removiendo hasta que se espese. Vuelva a poner el pollo y las verduras en el wok y recaliéntelos en la salsa. Disponga las cestitas de fideos en 4 platos y divida el salteado de pollo entre ellos.

Los fideos de arroz fritos pueden sustituir las cestitas. Caliente el aceite suficiente en un wok a 180 o 190 °C. Añada 115 g de fideos de arroz, secos y de tamaño medio, y fríalos, removiendo, hasta que estén crujientes (unos 30 segundos). Retírelos del wok y déjelos escurrir sobre papel de cocina. Repita la operación con el resto de los fideos.

POLLO CON VERDURA VERDE

PARA 4 PERSONAS

250 g de fideos chinos al huevo, secos y de tamaño medio

2 cucharadas de aceite de cacahuete o de girasol

1 diente de ajo grande, majado

1 guindilla verde, despepitada y cortada en rodajitas

1 cucharada de mezcla china de cinco especias

2 pechugas de pollo deshuesadas y sin piel, cortadas en tiras finas

2 pimientos verdes, sin la membrana ni semillas y cortados en tiras

115 g de brécol cortado en ramitos pequeños

55 g de judías verdes finas, cortadas en trozos de 4 cm y sin las puntas

5 cucharadas de caldo de verduras o de pollo

2 cucharadas de salsa de ostras

2 cucharadas de salsa de soja

1 cucharada de vino de arroz o jerez seco

100 g de brotes de soja

Esta receta es sumamente versátil y se puede adaptar fácilmente al tipo de verdura verde que tenga en casa. Los espárragos, las judías verdes chinas y la col china son muy indicados, igual que los guisantes congelados. (Póngalos en el wok directamente del congelador en cuanto el pollo esté cocido y saltéelos 1 minuto antes de añadir el resto de los ingredientes.) Hierva los fideos 4 minutos hasta que se hayan ablandado, o bien siga las instrucciones del envoltorio. Escúrralos, páselos por agua fría y vuelva a escurrirlos. Resérvelos

Caliente un wok o una sartén grande a fuego vivo. Añada 1 cucharada de aceite y caliéntelo hasta que esté reluciente. Saltee el ajo, la guindilla y la mezcla de especias durante 30 segundos. Incorpore el pollo y saltéelo 3 minutos o hasta que esté bien cocido. Retírelo con una espumadera y resérvelo.

Ponga el resto del aceite en el wok y caliéntelo. Saltee el pimiento, el brécol y las judías verdes unos 2 minutos. Agregue el caldo, la salsa de ostras y la de soja y el vino de arroz, y vuelva a poner el pollo en el wok. Continúe salteando otro minuto hasta que el pollo esté caliente y las verduras tiernas pero no reblandecidas. Incorpore los fideos y los brotes de soja y mezcle bien los ingredientes con la ayuda de 2 tenedores.

La salsa de ostras envasada es una salsa espesa que se utiliza habitualmente en la cocina china. Está hecha de un concentrado de ostras cocidas con salsa de soja, pero no sabe a pescado, sino que aporta un sabor intenso y dulzón a los platos. La venden en la mayoría de los supermercados, así como en tiendas de alimentación oriental.

PARA 4 PERSONAS

450 g de pierna de cordero
deshuesada, sin grasa y
cortada en tiras finas

250 g de fideos de arroz,
secos y de tamaño medio

2 cucharadas de aceite de
cacahuete o de girasol

1/2–1 guindilla roja, al gusto,
sin semillas ni membrana y
cortada en rodajas finas

2 pimientos rojos sin
semillas ni membrana,
cortados en tiras finas

4 cucharadas de salsa de
judías negras con ajo

4 cucharadas de menta
fresca picada

3 cucharadas de semillas
de sésamo tostadas
(*véase* pág. 64)

Adobo

3 cucharadas de salsa
de soja oscura

2 cucharadas de azúcar
moreno claro

1 1/2 cucharadas de vino
de arroz

2 cucharaditas de aceite
de sésamo tostado

CORDERO CON PIMIENTO ROJO

No es imprescindible macerar la carne, pero si dispone de tiempo hágalo, ya que la carne adobada adquirirá un dulzor extra que contrastará muy bien con la guindilla. Para preparar el adobo, mezcle la salsa de soja, el azúcar, el vino de arroz y el aceite en un cuenco no metálico, añada la carne y remueva para que quede recubierta; déjela macerar 30 minutos o cúbrala y guárdela en la nevera hasta 24 horas. Entretanto deje los fideos en remojo en agua tibia 20 minutos, hasta que se hayan ablandado, o siga las instrucciones del envoltorio. Escúrralos bien y resérvelos.

Caliente un wok o una sartén grande a fuego vivo. Añada el aceite y caliéntelo hasta que esté reluciente. Ponga la guindilla y remueva 30 segundos, añada el pimiento y saltéelo 1 minuto.

Pase la carne y el adobo al wok, y aléjese del fogón porque salpicará. Siga salteando 2 minutos. Agregue la salsa de judías negras con ajo y cueza hasta que todo el líquido se haya evaporado, el cordero esté rosado por dentro cuando corte un trocito y los pimientos estén tiernos pero no demasiado blandos.

Incorpore los fideos y, con la ayuda de 2 tenedores, remueva los ingredientes para mezclarlos. Cuando los fideos estén calientes, añada la menta y las semillas de sésamo.

Casi todo el sabor picante de la guindilla procede de un componente llamado «capsaicina», que se encuentra en las semillas y las membranas. Si le gusta el plato muy picante no quite todas las semillas, pero si no es así retírelas con la punta de un cuchillo pequeño.

PARA 4 PERSONAS

55 g de orejas de Judas chinas, secas (*véase* pág. 46)

100 g de mazorquitas de maíz cortadas por la mitad longitudinalmente

2 cucharadas de miel fluida

1 cucharada de pasta de tamarindo (*véase* la sugerencia)

4 cucharadas de agua hirviendo

2 cucharadas de salsa de soja oscura

1 cucharada de vinagre de arroz

2 cucharadas de aceite de cacahuete o de girasol

1 diente de ajo grande, picado muy fino

1 trozo de jengibre fresco de 1 cm, pelado y picado muy fino

1/2 cucharadita de copos de guindilla roja, o al gusto

350 g de solomillo de cerdo cortado en lonchas finas (*véase* pág. 57)

4 cebolletas cortadas en rodajas anchas en diagonal

1 pimiento verde, sin semillas ni membrana y cortado en tiras

250 g de fideos *hokkien* frescos

cilantro fresco picado, para decorar

CERDO AGRIPICANTE

Deje las setas en remojo en agua hirviendo durante 20 minutos o hasta que estén tiernas. Escúrralas bien, descarte los tallos demasiado gruesos y corte los sombreritos en trozos si son grandes. Entretanto lleve una cazuela grande con agua ligeramente salada a ebullición y escalde las mazorquitas 3 minutos. Escúrralas y páselas bajo el chorro de agua fría para detener la cocción; resérvelas. A continuación, ponga la miel y la pasta de tamarindo en un bol pequeño, añada el agua y remueva hasta que la pasta se haya disuelto. Agregue la salsa de soja y el vinagre de arroz y reserve.

Caliente un wok o una sartén grande a fuego vivo. Incorpore el aceite y caliéntelo hasta que esté reluciente. Saltee el ajo, el jengibre y los copos de guindilla durante unos 30 segundos, a continuación añada la carne y siga salteando 2 minutos más.

La pasta de tamarindo, espesa y de color marrón oscuro, se utiliza en los platos orientales para dar un sabor ácido. Se vende en colmados indios y otros tipos de establecimientos asiáticos, pero si no la encuentra, omita el agua de la receta y añádale 1 cucharada de zumo de lima a la miel.

Agregue el resto del aceite al wok y caliéntelo. Añada la cebolleta, el pimiento, las setas y las mazorquitas, junto con la mezcla de tamarindo, y saltee 2 o 3 minutos más, hasta que la carne esté bien cocida y las verduras tiernas pero no reblandecidas. Incorpore los fideos y mezcle bien los ingredientes con 2 tenedores. Cuando los fideos y la salsa estén calientes, espolvoree unas hojitas de cilantro por encima.

No deje que cocinar se convierta en rutina guisando siempre los mismos platos. En este capítulo encontrará una gran fuente de inspiración. Aquí se recogen comidas de un solo plato que apetece tomar a cualquier hora, que llenan y que puede compartir con amigos o la familia: son sabrosas y fáciles de preparar. Los versátiles fideos orientales pueden sustituir a las patatas, el arroz o la pasta de sus comidas habituales.

Estas innovadoras recetas incluyen una variada gama de ingredientes, con muchas verduras frescas. Lo único que precisará para acompañarlas es una ensalada verde, si lo desea. Encontrará platos adecuados tanto para vegetarianos como para quienes no lo sean.

Las recetas de este capítulo son ideales para cuando no puede dedicar demasiado tiempo a cocinar platos muy elaborados. Varias de ellas le ahorrarán tiempo porque utilizan salsas envasadas para salteados de gran calidad.

CUARTA PARTE PLATOS ÚNICOS

Acostúmbrese a comprar un par de frascos cada vez que hace la compra, así como varios paquetes de fideos orientales, y de ese modo dispondrá siempre de lo necesario para preparar una rápida y deliciosa comida. También es aconsejable tener en casa salsas y aceites asiáticos, que tanto sabor añaden a las comidas, como salsa de soja, aceite de sésamo, salsa de ostras, de ciruelas o *hoisin,* para poder improvisar una comida rápida y original en cualquier momento.

Estos platos harán las delicias tanto de niños como de adultos. Las recetas modernas dan un nuevo aire a los platos favoritos de siempre pero sin complicaciones.

GUISADO DE SETAS Y TOFU

PARA 4 PERSONAS

55 g de setas chinas secas

115 g de tofu de textura firme, escurrido

2 cucharadas de salsa de guindilla dulce envasada (*véase la sugerencia*)

2 cucharadas de aceite de cacahuete o de girasol

2 dientes de ajo grandes, picados

1 trozo de jengibre fresco de 1 cm, pelado y picado fino

1 cebolla roja cortada en rodajas

$^{1}/_{2}$ cucharada de granos de pimienta de Sichuán, ligeramente majados

55 g de hongos de la paja enlatados (peso escurrido), enjuagados

caldo de verduras

1 anís estrellado

una pizca de azúcar

115 g de fideos de celofán

salsa de soja, al gusto

Los finos y transparentes fideos de celofán convierten este guisado en una comida vegetariana completa. Deje las setas en remojo con agua hirviendo 20 minutos, o hasta que se hayan ablandado. Corte el tofu en dados, mézclelo con la salsa de guindilla, remueva hasta que esté bien recubierto y déjelo macerar.

Justo antes de empezar a cocinar, cuele las setas con un colador forrado con papel absorbente y reserve el líquido. Caliente el aceite en una cazuela refractaria o una sartén grande con tapa. Añada el ajo y el jengibre y remuévalos 30 segundos, incorpore la cebolla y los granos

de pimienta y siga removiendo hasta que la cebolla esté casi tierna. Añada el tofu, las setas remojadas y los hongos de lata, y remueva con cuidado para no romper el tofu.

Agregue a la sartén el líquido reservado y suficiente caldo de verduras o agua para cubrir los ingredientes. Añada el anís estrellado y una pizca de azúcar, con unos chorritos de salsa de soja. Lleve a ebullición, reduzca la temperatura al mínimo y deje a fuego lento 5 minutos. Incorpore los fideos a la cazuela, tápela y cueza 5 minutos más, o hasta que los fideos estén tiernos. Éstos deberían estar cubiertos por el líquido, así que añada un poco más de caldo en este punto si fuera necesario. Utilice un tenedor o una cuchara de madera para mezclar los fideos con el resto de los ingredientes. Añada salsa de soja al gusto.

Lea con atención la etiqueta del envase cuando compre salsa de guindilla dulce y asegúrese de que es la adecuada para cocinar. Algunas, que suelen ser claras y de un color rojo vivo, son sólo para mojar. Si no la encuentra utilice una salsa de soja que también lleve guindilla.

CARNE SOBRE UN LECHO DE FIDEOS CRUJIENTES

PARA 2 PERSONAS

115 g de fideos chinos
al huevo, secos y finos

2 cebolletas cortadas
en diagonal

unas 5 cucharadas de aceite
de cacahuete o de girasol

1 cebolla grande cortada
en rodajas

sal y pimienta

1 filete de lomo o cuarto
trasero de carne de ternera, de unos 300 g de peso
y 1 cm de grosor

6 cucharadas de pasta
de curry rojo tailandés

55 g de coco cremoso,
disuelto en 100 ml de agua
hirviendo

Hierva los fideos 3 minutos o según indique el envoltorio, escúrralos bien y resérvelos hasta que ya no tengan nada de humedad. No los pase por agua fría porque interesa que el almidón los mantenga pegados. Póngalos en un cuenco, añada las cebolletas y mézclelos.

Caliente una sartén grande a fuego vivo. Añada 1 cucharada de aceite y caliéntelo. Ponga la mitad de los fideos y presiónelos firmemente para formar una base plana. Reduzca la tempe-ratura del fuego a la posición media y fría los fideos 4 minutos o hasta que estén bien dorados por abajo. Deslícelos sobre una bandeja de hornear sin reborde y dele la vuelta sobre la sartén. Añada otra cucharada de aceite y fríalos 3 o 4 minutos más hasta que estén crujientes. Déjelos escurrir sobre papel de cocina y mantén-galos calientes en el horno a temperatura míni-ma mientras fríe el resto de la misma forma.

Limpie la sartén con papel de cocina y añada 1 cucharada de aceite. Fría la cebolla 3 minutos, hasta que se haya ablandado. Salpimiente la

carne y fríala 2 minutos. Dele la vuelta, añada la pasta de curry y la crema de coco. Deje cocer la carne en la salsa 2 minutos más si la quiere al punto, y después retírela de la sartén. Deje her-vir la salsa 1 o 2 minutos hasta que se espese.

Corte la carne en lonchitas diagonales, dis-póngala sobre la base de fideos y vierta unas cucharadas de salsa por encima.

En esta receta utilizamos carne de buena calidad, del lomo o cuarto trasero, por el tiempo de cocción. Otra alternativa sería una pechuga de pollo deshuesada.

FIDEOS CON ALBÓNDIGAS

PARA 4 PERSONAS

250 g de fideos de arroz, secos y de tamaño medio

aceite de cacahuete o de girasol

160 g de salsa de judías negras con ajo

4 cebolletas picadas finas

ramitas de perejil fresco, para adornar

Albóndigas picantes

225 g de carne magra de ternera, recién picada

30 g de champiñones chinos, limpios y picados

1/2–1 guindilla roja, al gusto, despepitada y picada

1 trozo de jengibre fresco de 2,5 cm, pelado y picado fino

1 cucharada de salsa de ostras

1/2 cucharada de salsa de guindilla, o al gusto

ramitas de perejil fresco, para decorar

sal y pimienta (opcional)

Oriente y Occidente se dan la mano en esta versión de espaguetis con albóndigas. Empiece por dejar los fideos en remojo con el agua tibia suficiente para cubrirlos, 20 minutos, hasta que se hayan ablandado, o siga las instrucciones del envoltorio. Escúrralos bien y resérvelos.

Entretanto prepare las albóndigas. Ponga todos los ingredientes en un bol y mézclelos con las manos. Salpimiente si lo desea (*véase la sugerencia*). Para darles forma, humedézcase las manos con agua fría y forme 16 bolitas. Cubra las albóndigas con film transparente y déjelas en la nevera hasta 1 día, o bien prosiga con la

receta. Caliente 1 cucharada de aceite en una sartén grande con tapa a fuego medio-alto. Ponga tantas albóndigas como quepan en una sola capa, sin apretujarlas, y fríalas hasta que estén doradas. Fría el resto y añada un poco de aceite si fuera necesario. Retire el exceso de grasa de la sartén y vuelva a poner todas las albóndigas. Añada la salsa de judías negras con ajo, deje el fuego en la posición media, cubra la sartén y deje las albóndigas de 10 a 15 minutos, hasta que estén bien cocidas.

Retire las albóndigas y la salsa de la sartén, y manténgalas calientes. Limpie la sartén con papel de cocina y recaliéntela, añada 1 cucharada de aceite y la cebolleta, y remueva 1 minuto o hasta que se ablande. Incorpore los fideos y recaliéntelos. Pase los fideos a 4 platos, ponga las albóndigas y la salsa por encima y adorne con unas ramitas de perejil.

Fría un poco de mezcla de carne y pruébela antes de dar forma a las albóndigas. De esta manera sabrá si necesitan sal y pimienta sin tener que probar la carne cruda. Para unas albóndigas más ligeras, utilice la mitad de carne de ternera y la otra mitad de cerdo.

ATÚN Y FIDEOS
EN HOJAS DE BANANO

PARA 4 PERSONAS

200 g de fideos de arroz, secos y gruesos

16 rodajas muy finas de lima

4 hojas de banano, de unos 35 × 20 cm, sin el nervio central

4 filetes de atún de unos 140 g cada uno y 2 cm de grosor

sal y pimienta

Pasta de coco y cilantro

55 g de coco cremoso, picado

30 g de ramitas de cilantro fresco, picadas gruesas

2 dientes de ajo picados

1 trozo de jengibre fresco de 2,5 cm, pelado y rallado

1/2 cucharadita de azúcar

un pellizco de copos de guindilla seca, o al gusto

2 cucharadas de *nam pla* (salsa de pescado tailandesa)

el zumo de 1/2 lima

Igual que los franceses preparan el marisco envuelto en paquetitos de papel para que conserve la humedad y el sabor, los tailandeses utilizan hojas de banano. Puede adquirirlas en tiendas de alimentación tailandesa. Para hacer la pasta de coco y cilantro, pique el coco cremoso, el cilantro, el ajo, el jengibre, el azúcar y los copos de guindilla en un robot de cocina hasta que estén bien finos. Con el motor en marcha, añada el *nam pla* y el zumo de lima, y forme una pasta espesa.

Entretanto deje los fideos en remojo en agua tibia 20 minutos, hasta que se ablanden, o siga las instrucciones del envoltorio. Escúrralos y resérvelos. Coloque 4 rodajas de lima en fila en el centro de cada hoja de banano. Salpimiente

las rodajas de atún al gusto, colóquelas sobre las rodajas de lima y extienda 1/4 de pasta encima de cada una de ellas. Añádales una cuarta parte de los fideos y envuelva los ingredientes con la hoja, que puede atar con un trozo de cordel de cocina. Déjelo macerar 30 minutos.

Cuando vaya a preparar el plato, ponga una vaporera con capacidad para que quepan los 4 paquetitos en una sola capa y déjela sobre una cazuela con agua hirviendo, procurando que el agua no toque el fondo de la vaporera. Coloque los paquetitos de pescado y cuézalos al vapor 15 minutos. Abra uno para comprobar que el atún esté cocido y que se desmenuza con facilidad. Retire el cordel y sirva los paquetitos, que cada comensal abrirá en su plato.

Si no encuentra hojas de banano, utilice un trozo de papel parafinado de doble grosor. Merece la pena preparar el doble de pasta ya que se mantiene fresca varios días si la guarda en un recipiente hermético en la nevera. También puede utilizarla para macerar carne de pollo, cerdo o ternera antes de asarla.

POLLO TERIYAKI
CON FIDEOS AL SÉSAMO

PARA 4 PERSONAS

4 pechugas de pollo deshuesadas, de unos 175 g cada una, con o sin piel, al gusto

unas 4 cucharadas de salsa *teriyaki* envasada o casera (*véase* pág. 21)

aceite de cacahuete o de girasol

abanicos de pepino, para decorar

Fideos al sésamo

250 g de fideos de trigo sarraceno, secos y finos

1 cucharada de aceite de sésamo tostado

2 cucharadas de semillas de sésamo tostadas (*véase* pág. 64)

2 cucharadas de perejil fresco, picado fino

sal y pimienta

Éste es un plato que puede preparar con antelación, así que no tendrá que cocinar mucho al final. Deje macerar el pollo mientras esté fuera de casa o esté haciendo otras cosas, y entonces sólo tendrá que sacarlo de la nevera cuando ponga a calentar el grill. Haga 3 incisiones en diagonal en cada pechuga con un cuchillo afilado y úntelas con la salsa *teriyaki*. Déjelas macerar como mínimo 10 minutos, o cúbralas y déjelas todo el día en la nevera.

Para asar el pollo, precaliente el grill a temperatura alta. Lleve una cazuela con agua a ebullición y hierva los fideos 3 minutos, hasta que estén tiernos, o bien siga las instrucciones del envoltorio. Escúrralos y páselos por agua fría para detener la cocción y eliminar el exceso de almidón; vuelva a escurrirlos.

Engrase ligeramente la parrilla del grill con aceite y ponga las pechugas con el lado de la piel hacia arriba, untadas con un poco más de salsa *teriyaki*. Ase las pechugas a unos 10 cm del fuego, untándolas ocasionalmente con más salsa, durante 15 minutos o hasta que estén hechas y el jugo salga claro al pincharlas con la punta de un cuchillo.

Entretanto caliente un wok o una sartén grande a fuego vivo, añada el aceite de sésamo y caliéntelo hasta que esté reluciente. Incorpore los fideos y remueva para calentarlos, y después añada las semillas de sésamo y el perejil. Por último, salpimiente al gusto.

Pase las pechugas a los platos y agregue una porción de fideos a cada uno.

Estos fideos también combinan a la perfección con bacalao fresco, salmón, atún o caballa asados, pero deje el pescado en maceración un máximo de 30 minutos. Ase el pescado, untándolo con la salsa, hasta que se desmenuce con facilidad.

BACALAO CON FIDEOS ESPECIADOS

PARA 4 PERSONAS

1 cucharada de aceite de cacahuete o de girasol

la ralladura fina y el zumo de 1 limón grande

4 filetes de bacalao fresco o abadejo, de unos 140 g cada uno, sin piel

pimentón dulce al gusto

sal y pimienta

Fideos especiados

250 g de fideos chinos al huevo, secos y de tamaño medio

1 cucharada de aceite de cacahuete o de girasol

2 dientes de ajo picados

1 trozo de jengibre fresco de 2,5 cm, pelado y picado fino

2 cucharadas de raíces de cilantro fresco, picadas muy finas

1 cucharada de *kechap manis* (salsa de soja dulce, *véase* pág. 22)

1 guindilla ojo de perdiz, despepitada y picada fina

1 cucharada de *nam pla* (salsa de pescado tailandesa)

Si piensa que el pescado a la parrilla es insulso, esta receta le hará cambiar de opinión. Estos especiados y originales fideos animan cualquier pescado, así que no se limite a los que sugerimos aquí: por ejemplo, la caballa también queda deliciosa.

Precaliente el grill a temperatura alta. Mientras se está calentando cueza los fideos en una cazuela con agua hirviendo 3 minutos, hasta que estén tiernos, o siga las instrucciones del envoltorio. Escúrralos, páselos por agua fría para detener la cocción, vuelva a escurrirlos y resérvelos. (Si quiere preparar los fideos con antelación, mézclelos con 1 cucharadita de aceite de sésamo y resérvelos.)

Mezcle 1 cucharada de aceite con el zumo de limón y unte una cara del pescado. Espolvoree con la ralladura de limón y un poquito de pimentón, y añada un poco de sal y pimienta. Unte ligeramente la parrilla del grill con aceite y ase el pescado a unos 10 cm de la llama, 8 o 10 minutos, hasta que se desmenuce con facilidad.

Entretanto caliente un wok o una sartén grande a fuego vivo. Añada el aceite y caliéntelo hasta que esté reluciente. Saltee el ajo y el jengibre 30 segundos. Añada el cilantro y el *kechap manis* y remueva. Incorpore los fideos y remuévalos bien para que queden recubiertos de salsa. Agregue la guindilla picada y el *nam pla*. Sirva cada filete sobre un lecho de fideos.

El nam pla o salsa de pescado tailandesa aporta un sabor intenso y más bien salado a muchos platos de fideos. Huele a pescado en la botella, pero después de cocinarla casi no se nota. La encontrará junto con otras salsas asiáticas en supermercados y tiendas de alimentación oriental.

CERDO HOISIN CON FIDEOS AL AJILLO

PARA 4 PERSONAS

250 g de fideos chinos
al huevo, secos y gruesos,
o fideos chinos integrales
al huevo

450 g de solomillo de cerdo
cortado en lonchas finas
(*véase* pág. 57)

1 cucharadita de azúcar

1 cucharada de aceite de
cacahuete o de girasol

4 cucharadas de vinagre
de arroz

4 cucharadas de vinagre
de vino blanco

4 cucharadas de salsa *hoisin*

2 cebolletas cortadas en
diagonal

unas 2 cucharadas de aceite
de girasol sazonado con ajo

2 dientes de ajo grandes,
cortados en láminas finas

cilantro fresco picado,
para decorar

Los amantes del ajo no quedarán indiferentes ante estos fideos que causarán sensación. También quedan bien con carne a la parrilla. Hierva los fideos 3 minutos hasta que estén tiernos, o siga las instrucciones del envoltorio. Escúrralos bien, páselos por agua fría para detener la cocción y vuelva a escurrirlos; resérvelos.

Entretanto espolvoree las lonchas de cerdo con el azúcar y empápelas bien con las manos. Caliente un wok o una sartén grande a fuego vivo. Añada el aceite y caliéntelo hasta que esté reluciente. Saltee la carne unos 3 minutos hasta que esté cocida y haya perdido el color rosado. Retírela del wok y manténgala caliente. Añada ambos vinagres al wok y déjelos hervir hasta que hayan quedado reducidos a unas 5 cucharadas. Agregue la salsa *hoisin* y la cebolleta, y deje que burbujee hasta que se reduzca a la mitad. Vuelva a poner la carne y remueva.

Limpie el wok rápidamente con papel de cocina y recaliéntelo. Añada el aceite sazonado con ajo y caliéntelo hasta que esté reluciente. Ponga las láminas de ajo y remueva 30 segundos, hasta que estén doradas y crujientes; retírelas con una espumadera y resérvelas.

Incorpore los fideos al wok y remuévalos para calentarlos. Divídalos entre 4 platos, ponga encima la carne y la salsa de cebolla, y, si lo desea, espolvoree con las láminas de ajo frito y el cilantro.

No se preocupe por comer las láminas de ajo, ya que la cocción suaviza su sabor. Simplemente procure retirarlas del wok antes de que se doren demasiado y queden amargas. Escoja ajos bien frescos, de textura firme y con la piel bien adherida, y guárdelos a temperatura ambiente.

VERDURA AGRIDULCE
SOBRE CREPES DE FIDEOS

PARA 4 PERSONAS

115 g de fideos de celofán, secos y finos

900 g de verduras variadas, como zanahorias, mazorquitas de maíz, coliflor, brécol, tirabeques, cebollas, etc.

6 huevos

4 cebolletas cortadas en diagonal

sal y pimienta

2 1/2 cucharadas de aceite de cacahuete o de girasol

100 g de brotes de bambú de lata, escurridos

200 g de salsa agridulce envasada

Deje los fideos en remojo en agua tibia unos 20 minutos, hasta que se ablanden, o siga las instrucciones del envoltorio. Escúrralos y córtelos en trozos de 7,5 cm; resérvelos.

Entretanto pele y pique las verduras, según convenga. No importa las verduras que utilice ni lo variada que sea la selección, pero deberían quedar todas más o menos del mismo tamaño, para que cuando las saltee la cocción sea uniforme; recuerde que deben quedar tiernas pero mantener su textura.

Bata los huevos, añada los fideos y la cebolleta, y salpimiente al gusto. Caliente una sartén de

20 cm a fuego vivo. Añada 1 cucharada de aceite y extiéndalo por la base. Vierta una cuarta parte de la mezcla de huevo e incline la sartén para que la base quede recubierta. Baje el fuego a la posición media y espere 1 minuto o hasta que haya cuajado. Dele la vuelta y añada un poco más de aceite si fuera necesario. Siga friendo hasta que la crepe haya cuajado. Manténgala caliente en el horno a baja temperatura mientras prepara las otras 3.

Cuando tenga las 4 crepes listas, caliente un wok o una sartén grande a fuego vivo. Añada 1 1/2 cucharadas de aceite y caliéntelo hasta que esté reluciente. Ponga primero las verduras más gruesas, como la zanahoria, y saltee 30 segundos. Gradualmente vaya añadiendo el resto de las verduras y los brotes de bambú. Agregue la salsa y saltee hasta que todas las verduras estén tiernas y la salsa caliente. Ponga las verduras y la salsa sobre las crepes y espolvoree con cilantro.

Los fideos de celofán se venden en ovillos grandes que son difíciles de separar hasta que no se han remojado. Si van atados con un cordel, no lo retire hasta que los haya escurrido y vaya a cortarlos en trozos más pequeños.

CORDERO CON FIDEOS
A LAS HIERBAS

PARA 4 PERSONAS

4 paletillas o chuletones
deshuesados de cordero

aceite de cacahuete o
de girasol

sal y pimienta

ramitas de menta o de
cilantro fresco, para
decorar

gajos de lima, para servir

Fideos a las hierbas

el zumo de 1 lima

1 cucharada de *nam pla*
(salsa de pescado tailandesa)

1/2 cucharada de salsa
de guindilla dulce (*véase*
pág. 76)

1 cucharadita de azúcar
moreno claro

1/2 cucharada de aceite
de sésamo

250 g de fideos chinos al
huevo, secos y gruesos

5 cucharadas de hojas de
menta fresca, picadas finas

5 cucharadas de hojas de
cilantro fresco, picadas finas

Éste es uno de los platos que mejor define
la cocina rápida: puede estar listo en unos
15 minutos, y además se puede comer caliente
saliendo del fogón o tibio para una comida
estival. Empiece mezclando los ingredientes
para los fideos. Ponga el zumo de lima, el *nam
pla,* la salsa de guindilla dulce, el azúcar moreno
y el aceite de sésamo en un bol pequeño,
bátalos y resérvelos.

Caliente una parrilla o sartén grande a fuego
vivo. Unte ligeramente la carne con el aceite
por ambos lados y salpiméntela. Ásela 6 minutos si la desea poco hecha o 10 minutos si la
quiere más cocida; dele la vuelta una vez.

Entretanto hierva los fideos 3 minutos, hasta
que se hayan ablandado, o siga las instrucciones
del envoltorio. Escúrralos bien y páselos inmediatamente a un cuenco grande. Agregue la
mezcla de zumo de lima y empápelos bien; a
continuación, añada las hierbas frescas picadas.

Sirva la carne con los fideos a un lado. Espolvoree con más hierbas si lo desea y con unos
gajos de lima para exprimirlos sobre el plato.

*En la actualidad, los supermercados suelen tener todo
el año una selección de hierbas frescas, como el cilantro
y la menta que utilizamos para esta receta. Compre
sólo las hierbas que tengan un aroma limpio y fresco,
así como un color verde brillante. Deje las que estén
mustias o tengan puntitos oscuros.*

HORMIGAS TREPADORAS

PARA 4 PERSONAS

250 g de fideos de arroz,
secos y gruesos

1 cucharada de harina
de maíz

3 cucharadas de salsa
de soja

1 1/2 cucharadas de vino
de arroz

1 1/2 cucharaditas de azúcar

1 1/2 cucharaditas de aceite
de sésamo tostado

350 g de carne magra
de cerdo recién picada

1 1/2 cucharadas de aceite
de cacahuete o de girasol

2 dientes de ajo grandes,
picados finos

1 guindilla roja grande,
o al gusto, despepitada
y cortada en rodajas finas

3 cebolletas picadas finas

cilantro o perejil fresco,
picado fino, para decorar

Si la idea de las hormigas no le parece sugerente, no tema, las «hormigas» del plato no son más que trocitos pequeños de carne de cerdo picada, de los que se dice que parecen hormigas trepando por los fideos. A los niños les encanta por lo original del nombre, pero los adultos apreciarán más sus ricos sabores. Deje los fideos en remojo en agua tibia 20 minutos, hasta que se ablanden, o siga las instrucciones del envoltorio. Escúrralos bien y resérvelos.

Entretanto ponga la harina de maíz en otro cuenco grande, añada la salsa de soja, el vino de arroz, el azúcar y el aceite de sésamo, y remueva para que no se formen grumos. Incorpore la carne de cerdo y mézclelo todo con las manos, sin aplastar la carne; déjela macerar 10 minutos.

El vino de arroz, hecho con arroz glutinoso, levadura y agua, se utiliza para muchos platos tradicionales chinos, especialmente los de fideos. Tiene un sabor intenso y suave a la vez. Lo encontrará en supermercados y en tiendas de alimentación oriental. Guárdelo perfectamente cerrado a temperatura ambiente.

Caliente un wok o una sartén grande a fuego vivo. Añada el aceite y caliéntelo hasta que esté reluciente. Saltee el ajo, la guindilla y la cebolleta 30 segundos. Incorpore la carne y el adobo que pueda quedar en el cuenco, y saltéelo 5 minutos o hasta que la carne haya perdido su color rosado. Incorpore los fideos y mezcle los ingredientes con 2 tenedores. Espolvoree el plato con las hierbas picadas y sírvalo.

ÍNDICE